J'ai peur

Du même auteur

Lila dit ça, Plon.

CHIMO

J'ai peur

PLON

1

L'avocat me dit, première phrase :

— Ça va te faire au moins deux gros millions.

Pour moi c'est vague, comme si du brouillard lui sortait de la bouche. Je lui demande, le cœur en battement :

— Ça fait combien de petits millions, deux gros millions ?

— Ça en fait deux cents, il me répond.

J'étais debout, je le suis plus. Mes jambes lâchent, je me retrouve assis sur sa moquette beige sans savoir quoi. Déjà un petit million je peux pas le penser, alors deux cents.

— C'est la vente en France et puis l'étranger. Ils ont aimé ça partout. Tu vas pouvoir frimer avec les fillettes, mais attention à pas oublier le fisc en route.

— Quel flic ? je lui demande.

— Le fisc, les impôts. Va te falloir payer des impôts là-dessus.

— Combien monsieur ?

— Soixante pour cent si ça se trouve. Dans un an d'ici. Plus divers trucs, les retenues, l'impôt solidarité aussi peut-être, mes cinq pour cent. Mais enfin bon.

— Il m'en restera ? je lui demande.

— Il t'en restera plein, petit. Qu'est-ce que tu vas en faire ?

De toutes les questions que je me posais toujours, c'est bien la chose que je pouvais pas attendre : que faire moi de mon fric ?

Oui j'ai fait le con, ça c'est assuré. À part le deux-pièces que j'ai acheté à ma mère près de la gare à La Garenne-Colombes, c'est elle qui a choisi l'endroit à cause des trains, en plus elle a arrêté de travailler, je dois la nourrir et ma sœur aussi, je lui ai raconté que j'avais gagné la montagne au Loto sportif pour pas la perturber autrement, elle est un peu tremblante de la tête ma mère elle parle seule depuis longtemps, ce qui est bien commode en un sens vu qu'elle a pas besoin d'amis, à part ça, le deux-pièces, mais je l'ai pas tout payé encore, le reste je l'ai jeté dans la poche des autres, autant le dire tout de suite.

Et pas dans les poches bien ouvertes de mes copains. Comme je m'étais dit, Lila morte et moi en morceaux, j'ai marché loin de la cité du Vieux Chêne sans un mot de plus aux lamentables, à Grand Jo, Mouloud, ceux qui me l'ont tuée, j'ai vécu des mois à la rue la rue, de la manche et de la débrouille, avant subitement de voir le livre un jour dans une vitrine et moi pas un rond pour l'acheter. J'entre, je le feuillette en secret là debout, c'est bien le mien, envoyé quatre mois plus tôt à un avocat des prisons, elle est là sous mes doigts l'histoire de la pauvre Lila, j'en reviens pas, mot pour mot, mes mains sont toutes pâles, je demande à la libraire si je peux téléphoner sans payer elle me dit oui, c'est un jour de bonté totale, l'avocat fait l'heureusement surpris, qu'il me cherche depuis tant et tant, qu'il veut me voir et tout, saute dans un taxi allez là maintenant et vite.

Je remercie la libraire, tu as le merci vraiment facile les poches vides. Pour le taxi, le premier de ma vie, c'est toute une embrouille, le chauffeur d'abord veut pas me charger vu que j'ai l'apparence pauvre et la pauvreté c'est comme ta chair tu l'as pour la vie, alors il faut discuter discuter, je dis l'avocat payera, autant jouer du violoncelle à une hyène, j'appelle encore une fois l'avocat, merci la libraire, l'autre affirme au chauffeur qu'il allongera tout et même un pourboire de luxe, mais que de fourbi pour cinquante francs ! Me voilà maintenant sur les banquettes en simili, moi dans un taxi, les anges aux commandes, aujourd'hui c'est le jour des jours le ciel s'est ouvert et des oranges d'or en tombent doucement, bientôt des fontaines de miel et les cuisses ouvertes des vierges putes, je suis là et je rêve de feu rouge en feu rouge, une étoile s'est allumée sur mon chemin gris, elle va peut-être s'éteindre, en attendant je suis assis dans un rongeur, le chauffeur a les dents serrées il me conduit pas loin des Invalides, une femme attend en jupe courte (mais ses jambes méritent pas sa jupe) devant la porte d'un gros immeuble, elle règle tout m'ouvre la portière en souriant me dit bonjour monsieur Chimo et me conduit en secouant ses quatre fesses vers l'ascenseur.

La suite je l'ai déjà dite. Je répète pas.

Ce jour-là l'avocat m'a donné mille cinq cents francs en billets de banque, une avance, je suis sorti fragile la main sur les billets, je voyais la terre autrement, adieu galère.

J'ai plein de choses nouvelles à raconter, je veux pas embêter le monde avec Lila encore, mais quand même les semaines suivantes en lisant partout les articles je me pensais vraiment ça va pas la planète, d'un côté ils disaient Chimo est un écrivain, ça me mettait le cœur dans la bouche, et puis tous ils disaient d'accord c'est bien le livre mais c'est pas de moi c'est d'un autre, forcément un vieux vicelard qui se cache, même un plié de l'Académie, ou Untel machin, ou alors même Orban l'éditeur, lui que j'ai vu que sur une photo et il a pas la tête à sucer du béton.

Comme si moi j'étais un écrivain mais j'avais pas le droit de l'être.

D'autres disaient que j'avais piqué sur un autre livre, l'avocat dit même qu'il y aura procès, moi je peux pas croire, un livre que j'ai pas lu où des journalistes, il paraît, racontent comme moi deux ou trois trucs vrais, que les gens dans les cités jettent des objets par la fenêtre, ça c'est partout, que les femmes font le tapin en fin de mois (seulement pas du tout l'histoire de Lila, là pas un mot), mais quand tu décris la réalité tu dis toujours des choses vraies moi il me semble, ou alors autant la fermer, si j'écris quand il pleut les radis poussent je copie qui ?

L'avocat dit que si le livre était tombé dans le désert alors évidemment adieu le procès, les mecs font ça parce que la braise a une odeur. Là où il y a du sucre, tu attends pas longtemps les fourmis.

Assez de ça. Juste en vitesse un peu la suite. J'ai acheté le deux-pièces, j'ai donné un peu à ma sœur, rien à ceux du Vieux Chêne je veux plus les revoir, tous des écrasés, l'impression qu'on leur a scié le sommet de la tête et coulé du béton dedans, j'ai loué une chambre à Bagnolet, acheté quelques fringues aussi un dictionnaire une télé des CD et un beau vélo. Le vélo je le garde encore, le reste je dirai comment je l'ai perdu, mangé à la sauce requin. L'avocat dit que c'est sans retour, autant jeter des œufs pour casser une pierre.

Je suis comme avant. Presque comme avant, et un an de plus. Avec l'envie d'écrire qui m'est restée collée. D'écrire riche et beau, ah l'envie. Il y a des mecs qu'on voit partout à la télé, surtout la nuit, ils parlent comme des pots d'échappement, total dans leurs livres y a rien que des couloirs avec du vent. Moi c'est le contraire. On m'a pas vu, on me verra pas. Je suis pas là pour me montrer et pour parler, je suis mal instruit de toute manière et puis j'ai peur des journalistes, qui ont l'air toujours de tout savoir et d'être en colère de t'inviter. J'ai envie de mettre des mots ensemble et qu'on les lise. Des mots de partout, des mots dessus de table, des mots dessous de lit, des mots cassés, pour voir des étincelles noires. S'il y en a qui ont leur cervelle dans leurs couilles, moi c'est le contraire.

2

Un jour au mois de juillet je me suis assis sur un banc je sais pas pourquoi.

J'aurais pu m'asseoir sur un autre banc, pas m'asseoir du tout. Non. Je me suis assis là sur ce banc, même pas fatigué je parie juste pour m'asseoir.

Assis à côté d'un homme qui faisait rien, déjà assis là sur le même banc regardant les choses tout autour, mains sur les genoux et l'œil sans éclat, une parka dans le gris-vert des pompes beiges.

Si seulement je m'étais assis sur un autre banc. Ou si j'étais passé sans m'arrêter. À quoi ça tient le destin de la vie quand même.

Je suis là depuis quatre cinq minutes, arrive un homme dans les quarante ou un peu plus avec cravate, il s'approche la main joyeuse de mon voisin, lui dit merci merci, qu'il est si content ravi de le voir, puis merci encore, ça a fait du quarante pour cent en six semaines et toujours ça monte. L'homme à la parka reste flegmatique, il dit que oui c'était prévu une opération très facile, l'autre l'embrasse presque et s'en va.

Je reste là glandant, j'essaye de penser à quelque chose, un peu plus tard arrive une femme plutôt très belle, une brune à la fesse haute et pas méfiante, maquillée assez lourd peut-être et la voix comme la vapeur d'un volcan, même jeu ou presque merci merci à part qu'elle en voudrait encore et elle insiste mais mon voisin se fait prier, il montre de la lassitude, un autre jour peut-être il y pensera oui madame mais vous savez bien que je m'en occupe, il sait où la trouver bien sûr, pas d'inquiétude là-dessus.

La brune se fait promettre bientôt bientôt, la sueur a mouillé ses dessous de bras (un corsage blanc) la voilà partie poussée par ses fesses, qu'il lui fasse signe bye-bye.

L'homme à la parka laisse entendre un petit soupir et tout de suite après il dit :

— Ils sont marrants, ils croient que j'ai que ça à faire.

— Quoi ? je demande.

C'est ça l'erreur, quand j'ai demandé quoi. J'aurais pu pas m'asseoir sur le banc, j'aurais pu pas demander quoi. Saisir la grande occasion de me taire. Par exemple, quand j'y pense maintenant, je me vois me lever dire au revoir monsieur et m'en aller sur mes deux jambes.

Mais pas du tout. J'ai demandé quoi.

Il m'a répondu mais sans se hâter, sans me sauter dessus, vague d'abord et même se faisant prier, parlant de placements un peu particuliers que moi sans doute je peux pas comprendre à mon âge, mais quoi je demande encore quoi ? Il existe une Bourse officielle mais aussi des bourses parallèles il me dit, c'est comme de tout, on croit le monde clair et simple quand on est jeune mais quelle erreur, le monde nous l'avons compliqué et obscurci vous savez ça ?

Qu'est-ce que c'est que ces bourses parallèles ? moi le jeune idiot je demande. C'est comme les autres il me dit, grosso modo le système est le même, on investit sur des matières après on touche, on touche même assez gros des fois vous savez mais évidemment tout ça c'est discret, ça marche au liquide, ça va de la poche à la poche. Des sommes énormes circulent de cette façon parallèle, même on les parachute la nuit à l'étranger dans des caissons étanches au milieu des prairies.

— Ça vous étonne peut-être, il me fait, à votre âge on n'a pas d'argent alors tout est clair. C'est après, à mesure qu'on commence à gagner, qu'on découvre les niveaux d'ombre.

Il baisse les paupières comme pour s'enfermer

un moment dans le noir. Cet homme il est comme l'entrée d'une caverne, avec derrière des kilomètres de couloirs et des gouffres pleins de passé.

Encore un soupir. Que c'est lourd à porter tout ça, il semble dire.

Il relève les paupières et reste rêveur les yeux ternes. J'écoute là, moi le pauvre aveugle, juste deux jours avant j'ai reçu un chèque de l'avocat et ouvert un compte à la banque, presque trois cent mille francs il marquait le chèque, une somme à crier partout, mon père dirait c'est les moutons gras qu'on mange les premiers et moi je suis paralysé de connerie, j'écoute l'homme à la parka, il parle tout tranquille sans me regarder directement, il m'explique les choses, évidemment il faut de l'argent au départ parce que l'argent va à l'argent c'est la grande loi, c'est injuste bien sûr mais c'est pas lui qui a fait le monde, il pleut toujours sur les mouillés il grêle aussi. Moi qui suis jeune et sans doute fauché (il me dit) je soupçonne rien de tout ça mais le monde c'est comme la campagne un jour de printemps, bien clair et lumineux paisible, le ruisseau gazouille tout près mais en réalité dans l'herbe, dans les sous-bois dans l'eau dans la terre partout tu as des millions de petites sales bêtes qui s'entre-tuent, des larves des araignées rouges des pucerons des sauterelles, des expéditions de fourmis gluantes, et tout ça s'égorge et se bouffe, combien de millions de meurtres à la minute et toi le cul dans l'herbe à t'extasier sur la verdure.

Il soupire et me dit :

— Que voulez-vous ? Même le cheveu a une ombre.

En tout cas, quand on a de l'argent, il ajoute en tournant la tête, faut être vraiment bête ou alors très mal renseigné pour aller le placer ouvertement en Bourse. Autant aller mendier sa nourriture en oubliant d'apporter son bol. Les vraies fortunes aujourd'hui sont dans l'ombre, il me dit. Personne les voit mais elles sont là, ça je vous l'assure. Y a plus d'argent qu'y en a jamais eu sur la terre. Les pauvres devraient savoir ça.

Et qu'on dise pas que c'est malhonnête en plus, parce que les malhonnêtes on sait où ils sont, suffit de lire les journaux et de regarder la télé même au hasard, c'est les officiels les malhonnêtes, les présidents, les décorés, ceux qui ont beaucoup et veulent davantage, comme l'autre rougeaud qui s'empiffrait dans la poche des charitables, et puis ceux qui touchent à la politique surtout, ça la politique faut éviter c'est le gouffre avec le calmar géant, le tourbillon qui vous aspire, attention attention mille menottes qui brillent dans la boue. Le ministre il entre en prison par la même porte que les

autres, mais en plus pour lui y a les photo-
graphes.

Et puis d'ailleurs, il dit la voix plus basse,
entre l'officiel et le clandestin il y a accord. Car
c'est pas possible autrement. C'est même un
contrôleur des impôts qui le lui a dit, ils étaient
au collège ensemble. Comment voulez-vous
qu'une société fonctionne en étendant toute sa
lingerie au grand soleil ? C'est forcé qu'il y ait
de l'occulte, forcé toléré. Sinon bonjour le
branle-bas, vive le naufrage. Un pays sans
fraude fiscale, cher jeune monsieur, est un pays
sans marge de manœuvre, sans réserve, sans ini-
tiative, sans réaction. Tout le monde sait ça par
cœur.

Même chose pour le travail au noir. Sans ça
comment voulez-vous qu'on rivalise avec le tiers
monde ? Mais sans les clandestins nous sommes
foutus ! Il nous faut des esclaves à domicile,
c'est comme ça. Les Américains, qui sont for-
tiches, l'ont compris depuis plus de vingt ans.
Savez-vous, il me dit, qu'on fabrique en douce
à San Francisco des vêtements marqués *made in
Taiwan* ? Ça veut dire quoi ? Qu'il faut nous
défendre. Et ne croyez pas que nos gouverne-
ments soient dans l'ignorance. En surface ils
gueulent contre les clandés mais en profondeur
ils les favorisent.

Je repense à la demi-heure fatale sur le banc
et je me dis que ce jour-là, baratiné par un

patron, hagard hypnotisé zingué par le chèque peut-être, j'avais le cerveau comme une chaussette qui tombe. Que faire, qui me dira que faire pour être toujours intelligent ?

Je vous garde pas longtemps là-dessus. Vous me voyez déjà. Évidemment je lui dis que je venais de toucher un peu, évidemment il a l'air surpris, évidemment je lui demande s'il pourrait des fois s'occuper de moi, évidemment il renâcle d'abord agite les mains fait non non je n'ai rien de sûr à vous proposer, mais on se revoit le lendemain, puis deux jours plus tard, une semaine au moins à me décevoir, ne croyez pas que ce soit si facile mon cher jeune homme et moi le double crétin qui insiste, puis tout à coup il a trouvé le vrai filon, on a bien fait d'attendre, alors ça fonce ultra-rapidement c'est là tout de suite ou jamais, je cours retirer mon blé de la banque où ils ont l'air qu'ils vont le regretter, je le confie à monsieur Dominique sur une banquette du café Balto et c'est terminé. Fini terminé. Évanoui, le marché parallèle. Aussi sec. Envolé, l'homme à la parka et aux paroles si aimables. Vous n'avez pas vu monsieur Dominique ? Monsieur qui ? Lui qui saluait du bout de la main tout le monde et que des amis venaient remercier jusque sur un banc, eh bien voilà, on le connaît plus. Disparu soufflé. Je suis refait par un fantôme.

Ah c'est dur c'est dur d'être con. Exactement

ce que me dit l'avocat en me regardant très sévère. J'ose pas tout lui raconter de ma grosse bêtise, peur qu'il se marre, mais il comble les trous naturellement :

— Il a reluqué tes pompes toutes neuves et ton beau blouson, qu'est-ce que tu crois ? Il a bien senti la jeune asperge qui met le nez au vent et qui demande qu'on la croque.

En plus, il me dit, les deux gros millions ont rapetissé. Pourquoi ? De combien ? Il sait pas encore.

— Tu te tailles une canne dans du bois pourri, il me fait, et tu t'étonnes qu'elle parte en poussière.

Il ajoute avec les gros yeux :

— Putain mais qu'est-ce que vous avez les pauvres ? Tu sais que c'est un métier d'être riche ?

Furieux comme si c'était son pognon barré dans les bourses occultes.

— Et surtout n'oublie pas le fisc sinon moi aussi je te lâche.

J'ose plus passer devant la banque. Je fais un détour par le square.

3

De nouveau cette odeur autour de moi. L'odeur des pauvres. Moi qui croyais qu'elle s'éloignait dans un bon coup de vent, je replonge.

C'est une odeur vraiment de naissance la pauvreté, ça se colle à ta peau au moment où tu mets le nez dehors, putain dit le bébé si j'avais su je serais pas sorti, et ça te quitte plus, c'est la plus forte odeur du monde et ça coûte pas cher en plus, et tu auras beau te laver gratter rincer, te racler le cuir avec des pierres tendres, te frotter aux arbres au printemps, te rouler dans des champs de fleurs, te taper la tête contre des roses, l'odeur elle s'accroche et même à l'intérieur, tu peux trimer courir crier comme un loup, partir en procession avec des pancartes, maudire le diable et bécoter les pieds des saints dans les églises, toujours l'odeur toujours avec toi la mauvaise, même dans ton cercueil tu sentiras la pauvreté.

Je pense à tout ça en sortant de chez l'avocat, qui m'a refusé une rallonge, *Lila* ça marche d'accord très bien mais pas au point que je me casse une tirelire géante. Bon alors quoi ? J'ai commencé par le chercher partout monsieur Dominique. Mais c'est grand, partout. Ça va nettement plus loin que Bagnolet, où j'ai ma piaule, et il faut payer le loyer là aussi, sans compter les traites pour ma mère et ma sœur qui veut changer de fringues, elle se croit riche.

J'en arrivais à la déroute quand j'ai rencontré la belle brune, juste en sortant de l'avocat. Celle qui était venue remercier Dominique à côté de moi sur le banc. D'après l'avocat, sa complice.

Je la vois qui marche dans la rue comme une figure mécanique, un peu hautaine de visage, chignon dressé, avec ce bloc fessier qui brave l'oubli.

Première fois de ma vie que je suis quelqu'un dans la rue. Je me croirais à la télé dans une série de police. Des mecs se retournent sur son passage même des vieux, et quelques-uns se figent, des statues avec des habits. Il faut dire qu'elle porte robe noire fendue, hauts souliers rouges, pas du tout le genre à Lila, ici ça sent le Sud, la crème de corps, le mascara, l'habitude des hommes poilus et de la sieste.

Elle prend le métro, moi aussi, en sautant par-dessus les barres. Dans les couloirs, dans le wagon, je pourrais la suivre au parfum pau-

pières baissées. Elle descend à Denfert-Roche-
reau je descends aussi, on se fait le boulevard
Arago en plein midi, c'est pas un quartier que
je connais, d'ailleurs je connais mal Paris.

Elle s'arrête près de la porte d'un immeuble.
La main sur le boîtier du code elle se retourne,
me regarde à travers le rimmel et me dit :

— Qu'est-ce que tu veux toi ?

— Je voudrais vous voir.

— Tu sors de prison ? elle me demande, avec
sa voix qui vient du centre de la terre.

Je lui dis que non. Sa question m'étonne et
elle le voit. Elle ajoute comme ça, toute seule,
en examinant ma jeunesse :

— En général ceux qui veulent me voir
sortent de prison.

— Ah bon ? je fais

— C'est ma spécialité, elle me dit. Les mecs
en cabane, tu sais, ce qui leur manque le plus
c'est un cul de femme. Alors dès qu'ils sortent,
dès qu'ils passent la grande porte avec leur
pécule, ils viennent chez moi pour en voir un.
C'est pour ça que j'habite ici près de la Santé.
Parce qu'en général ça presse, tu comprends.
Faut faire très vite.

— Ah oui, je dis tout bête.

— Mais c'est pas ton cas ?

— Non, non.

— Tu veux quoi au juste ?

— C'est au sujet de Dominique.

— Dominique qui ?

— Celui qui était assis sur le banc, vous êtes venue lui dire merci. Merci pour du fric, pour des bénéfices.

Elle avait commencé à composer son code d'accès, elle s'arrête et sous le rimmel elle réfléchit. Sans doute pas le genre à esclandre public. Je suis là en suspens j'attends les yeux baissés, comme aucun mur n'arrête tous les vents je me dis que j'ai une chance.

— Il t'a eu de combien ? elle demande.

— Trois cent mille.

Sursaut d'un sourcil. Je vois son œil briller pour la première fois. Sous la paupière lourde il y a le feu, c'est sûr.

— Tu les avais ? elle me demande.

— Mais pas longtemps, je lui réponds.

N'empêche, ça m'a valu un intervalle d'admiration. Pensive encore une demi-douzaine de secondes, puis elle dit ça :

— Garde la porte ouverte et viens dans deux trois minutes. Pas juste dans mon dos tu comprends ? Ça aurait l'air que je te monte. Quatrième à gauche.

Elle entre aussitôt moi j'attends, puis je m'enfile dans un escalier tiède avec des passages de son parfum, où je vais comme ça sans lumière ? Je pousse la porte entrouverte au quatrième gauche et là qui je trouve ? Celui qui était passé juste avant elle pour dire merci monsieur

Dominique le jour du banc. Quarante ans ou plus, pas forcément grand, un T-shirt mauve un nez busqué, en train d'écouter *Les Grosses Têtes* à la radio, il me regarde sans me connaître et elle lui dit tout de suite :

— C'est un ami à Dominique.

— Quel Dominique ?

— Haricot Vert. Il était sur le banc à Bagnolet, tu le remets pas ?

Il me regarde avec la moitié de ses yeux et il me demande :

— Comment tu t'appelles ?

— Chimo.

— Moi c'est Jean-René. Assieds-toi.

Il me montre une selle de chameau où je me pose. Il parle avec des manières polies, même un peu froides, mais il se marre en même temps d'une rigolade à la radio. Ce qui frappe, c'est le front bas.

La femme brune enlève la veste noire qu'elle portait, serrée à la taille, en dessous aussi le corsage est noir, et elle me dit :

— Moi c'est Mona, au fait. Mes vieux m'avaient baptisée Ramona mais je trouve que ça fait tarte.

— Ça fait avant-guerre, dit Jean-René. Tu veux un café, quelque chose ?

— Non, pas de café, j'ai pas déjeuné, je réponds.

— Mona, il te reste des œufs ?

25

— Je crois je vais voir, dit Mona.

Moi je dis non non je veux pas manger, je suis pas du tout venu pour ça, mais j'entends déjà les coquilles cassées dans la cuisine, la voix de Mona qui m'assure que c'est rapide à préparer, juste deux œufs avec un filet de vinaigre, bon d'accord j'accepte, d'ailleurs j'ai faim. En attendant que l'huile chauffe elle m'apporte une serviette une assiette et un bout de pain, avec des excuses car il est d'hier. C'est vrai qu'elle m'attendait pas.

La pièce est petite, des tableaux brodés sur les murs genre espagnol avec picadors et mantilles, des sièges en contrebas, une vierge ou deux, un bar à roulettes, où je suis tombé je me dis.

— Il doit rester un peu de chinon, dit Jean-René.

Le fond de vin arrive avec un verre, je me laisse faire après tout. Ils vont quand même pas m'empoisonner, les deux barons.

Elle pose tout ça sur une table basse elle se baisse et puis forcément elle se relève, et quand elle repart à la cuisine où ça grésille, Jean-René me demande, simple :

— Tu regardes son cul ?

— Oui bien sûr, je réponds.

— Tu as raison, il me fait avec un soupir. Quand il est là, c'est dur d'avoir les yeux sur autre chose. Il remplit l'espace, celui-là.

Un autre soupir ensuite un gros sourire à cause d'une autre blague à la radio, qu'il a baissée un peu quand même. Puis il me dit comme à un vieux copain, de temps en temps il se redresse les couilles en vitesse avec la main gauche :

— Tu vois Chimo, c'est le problème de ma vie. On peut la perdre pour une chose comme ça. Sa vie. On peut la perdre.

Les œufs me sont présentés directement glissant de la poêle à l'assiette, Mona me sert (vernis à ongles) puis elle déplie ma serviette, tout ça avec des va-et-vient qui troublent l'air, la robe fendue en supplément, je me demande comment amener mon affaire dans le dialogue (je suis là sur la trace de mon argent, que j'oublie pas) je décide d'attendre que *Les Grosses Têtes* se terminent, après je verrai.

— Apporte-moi aussi un verre, il dit à Mona.

On se partage le chinon, j'attaque les œufs, à la radio ils racontent une histoire de croquemorts et c'est fini. Jean-René se marre un bon coup puis il me dit :

— Mes parents se sont disputés toute leur vie, tu peux pas savoir. J'ai été élevé dans des cris, c'est pour ça que j'aime la tranquillité. Ma mère est morte la première. Mon vieux, après, quand il a senti que c'était son tour, il a demandé par testament à être enterré dans un autre cimetière. Pour pas qu'elle m'engueule, il a dit au notaire.

Pour dire : je me sens déjà en famille ou presque, je connais rien en vins mais celui-là me plaît, j'ai mangé un œuf et je me dirige vers le deuxième quand voilà qu'on sonne à la porte et que naît une confusion. Surpris inquiets tous les deux tout à coup.

— Qui ça peut être ? elle demande à petite voix.

Et lui, pareil :

— Le gros Henri serait déjà sorti ?

— Il devait sortir que demain.

— Allez, me dit Jean-René, reste pas là avec ta bouffe. Emporte tout ça et suis-moi.

Je me lève et me laisse guider. À la porte on sonne et on sonne. C'est un impatient à parier.

Jean-René m'emmène dans une chambre aux meubles luisants avec des femmes à poil sur les murs dans des couleurs douces, il m'installe avec le chinon et le deuxième œuf.

— Bouge pas, il me fait. Tu peux manger, mais pas de bruit.

Il retourne dans la première pièce où je les entends recevoir quelqu'un. La porte reste un peu ouverte alors je regarde. C'est un homme un peu gros pas très bien habillé, il sue, il est monté très vite. Les deux autres le saluent, ils le connaissent. Jean-René ferme les rideaux des fenêtres, Mona fait asseoir l'homme soufflant sur un fauteuil puis je vois qu'on baisse les lumières et que ça devient un peu rouge, Mona prend une espèce de napperon et en bat l'air, peut-être pour chasser l'odeur de mes œufs frits, l'homme répète « vite vite ».

Alors Mona se met debout juste devant lui mais de dos et elle décroche sa jupe noire.

Son cul est là, un mètre devant les yeux de l'homme. Son cul tout nu et blanc comme un gâteau du diable, avec l'encadrement des jarretelles et des bas noirs, un choc qui appelle le silence.

J'entends respirer le libéré.

Jean-René vient me rejoindre en vitesse et me dit dans l'oreille droite :

— Maintenant vaut mieux les laisser seuls. Douze ans ça fait, le gros Henri.

Douze ans sans un cul, même moche.

Nous regardons tous les deux par la fente, Jean-René un peu au-dessus de moi. Il s'est mis sur la pointe des pieds. Dans l'autre pièce, j'oublie de dire, on entend aussi une musique, peut-être un tango je sais pas très bien, avec des violons en tout cas.

— À la longue, Jean-René me dit toujours dans l'oreille, tu en viens à douter que ça existe. Alors quand tu sors et que tu vois ça c'est le grand bleu.

Elle a des fesses à mettre en vitrine, j'en ai jamais vu des comme ça, fermes sous l'œil, bien lancées en arrière, rebondies et même luisantes comme si quelqu'un les avait vernies, de ces choses qui rendent la vie plus facile et plus difficile, qui appellent la claque et la caresse, ça marche devant toi et le monde s'arrête, ça s'arrête et c'est toi qui bouges.

On ne craint même pas que ça puisse vieillir et se détériorer, c'est du marbre chaud construit pour durer, fabriqué dans la forge à chair et pour les rêves de toujours.

Ça dure sept à huit minutes. Comme j'ai peur que mon œuf refroidisse, je me le mange sans le soupçon d'un bruit, avec Jean-René au-dessus de moi qui me dit :

— Je peux pas m'en lasser, tu vois. Depuis le temps.

Il y a un enchaînement dans la musique, un autre rythme plus lambada, plus remuant quoi. Mona change de position. Elle se met à genoux sur un canapé le cul toujours bien exposé, les souliers rouges avec les talons comme des poignards, là elle écarte les genoux, elle les rapproche, elle s'étire bien devant et puis elle fait tourner ses fesses en musique, spectacle privé pour un homme libre.

Je mâche mon œuf silencieusement en admirant ça, la vraie beauté en contrebande, au milieu c'est noir et profond, poilu même il me semble bien, c'est le gouffre ancien du péché qui fout le vertige à la bite, comme une statue de square avec des bas noirs qui tout à coup te favoriserait, regarde mais regarde, un défi un remède à tout, et rien ne tremble, tâte avec ta prunelle, tout ça tu vois c'est de l'éternité.

Qu'on me dise simplement au moins une fois pourquoi je bande. Qu'on me dise pourquoi on a envie de s'enfoncer dans cette raie noire, couleur de sang à l'intérieur, qu'est-ce qu'il y a d'attirant là-dedans, d'où vient toute cette montée, l'envie de bourre, qu'on me le dise juste une fois avant que je meure moi aussi. Après tout c'est que de la viande, qu'elle soit bombée ou flottante, rose ou foncée, pourquoi je me détourne d'une et m'accroche à l'autre, et ce que j'aurai de plus ou de moins si ça m'arrive avec celle-ci celle-là. Qu'on me dise tout ça, après j'irai dormir.

4

L'homme reste en extase une vingtaine de minutes puis il donne quelques billets, je vois pas combien, et s'en va.

Je reviens dans la première pièce avec Jean-René et mon assiette vide que je sauce. Mona remet sa jupe, les lourdes paupières baissées, je sens comme un moment de gêne puis je demande, juste pour parler :

— Ça s'est bien passé ?

— Il était content, elle me répond.

— C'est tout ce qu'ils font ? Ils regardent ?

— Ils peuvent toucher aussi, explique Jean-René, mais du bout des doigts et rien que les bosses. Comme tu penses, c'est un peu plus cher. Y en a qui hésitent.

— Et c'est tout ?

— Pour qui tu me prends ? fait Mona.

Je la prends pour une pute, ça au moins c'est clair, seulement je le lui dis pas. Elle comprend mon intention quand même, conséquence elle se fâche et elle me dit :

— Je prends très peu de fric pour ça, tu sais. Je le fais parce que mon cul est beau, personne peut dire le contraire (je suis d'accord, ma tête lui fait signe que oui, ça oui) mais surtout parce que je les plains. Ces mecs-là ils sortent d'un trou sans femme. Si ça se trouve, ils se sont fait défoncer en série, les premières années surtout. Des choses qui marquent. Faut les réhabituer doucement à la vie, tu comprends ? Sinon ils feraient du dégât.

— Mona c'est une transition, dit Jean-René. Faut pas non plus qu'ils plongent tout de suite dans la femme.

— Ils sortent d'ici plus confiants, elle reprend, ils ont la preuve que ça existe encore. La vue d'abord, le reste un peu plus tard. Tu peux comprendre ça peut-être ? Le bon Dieu m'a faite comme je suis, j'ai pas demandé, mon cul je le prends comme un cadeau des anges et j'en fais profiter les démunis, voilà.

— C'est charitable, dit Jean-René.

— Mais si tu vas t'imaginer, elle dit encore, que je fais ça pour les allumer et pour après me les taper, tu sors d'ici tout de suite Chimo. Je me suis pas cachée de toi, je te l'ai dit tout de suite en bas quand on s'est parlé. Alors maintenant si tu me soupçonnes, moi qui suis très pieuse en plus (elle touche une médaille jaune

autour de son cou), tu te casses d'ici maintenant et je te vois plus.

Elle est outragée. Je lui dis pardon d'avoir
mal pensé. Après je demande un peu sur Dominique, vu que je suis venu pour ça, mais là sincèrement ils savent pas grand-chose, c'est un ami
d'ami en fait, c'est Robert de Montreuil qui les
a présentés, le courtier en ordinateurs, un
homme comme il faut, le Dominique ils savent
même pas son nom, de temps en temps il
demande un service aucune raison de lui refuser, oui naturellement il leur a placé un peu
d'argent, oh des misères quoi, mais bien placé
ça oui on peut pas dire, du bon rapport, le banc
à Bagnolet c'est juste une coïncidence, un coup
comme ça, c'est vrai qu'il y a de l'incertitude
dans le métier de monsieur Dominique mais
faudrait pas désespérer, il lui arrive aussi de disparaître, ça arrive à des gens très bien un peu
partout et puis ils reviennent, faut savoir
attendre, faut avoir un peu confiance en l'espèce humaine sinon où on va ?

En même temps ils m'offrent le café l'arma-
gnac, ils parlent ils parlent, à toi à moi, la
bouche est la porte du malheur disait mon papa
qui nous a lâchés, moi je suppose que je vieillis
mais lentement, je suis tellement bien là avec
eux, dès qu'on me parle je suis bien, Mona s'est
assise en face de moi sur un fauteuil bas, entre

ses cuisses c'est noir comme l'amour, comme la nuit où les hommes se perdent.

Ils me demandent ce que je fais dans l'existence, comment j'avais gagné tout ce tas de pognon, si je suis boxeur par exemple (j'ai un peu la tête il paraît), alors je leur parle de mon bouquin, ils s'attristent sur la pauvre Lila ah c'est très malheureux quand même, l'horreur que nous sommes quand on y pense, Mona dit qu'elle ira porter des fleurs sur sa tombe un jour, mais elle a pas de tombe, elle a été brûlée, je sais même pas où elle est rangée sa poussière, bref je me raconte en désordre, le pognon gagné le pognon perdu, oui oui ils me promettent ils en parleront à Haricot Vert ça s'arrangera forcément. Mona demande pardon pour la séance de matage, qui était pas prévue. Le gros Henri devait sortir que le lendemain sinon jamais elle m'aurait fait monter, que je la prenne pas surtout pour une grossière, que je revienne au moins quand je voudrai.

Quand les gens vous parlent de revenir, alors il est temps de s'en aller. Je dis adieu et je me lève. Mona me fait la bise et je sens son ventre contre le mien, elle appuie même, j'imagine qu'elle sent ma raideur, aussi qu'elle en a l'habitude. Sa façon de dire « à bientôt », c'est la fournaise qui t'invite à un bain. Je me sens partir dans le désir, la tête brumeuse. Mais qu'est-ce qu'il nous a mis entre les jambes le bon Dieu ? Il est fou ou quoi ?

Quand elle se détache, j'ai l'impression d'être mouillé. Je sors comme si j'étais nu.

Boulevard Arago je jette un coup d'œil au passage à la grosse prison qui est là, tous ceux qui sont entassés dans la pierre, quelques mètres juste nous séparent. Que jamais par ma mère je me retrouve enfermé dans un bâtiment, en rêvant au cul que Mona balance.

Je prends le métro, vite à Bagnolet. Je me sens pas bien à Paris, je peux pas me dire pourquoi.

Si, je vais essayer quand même. Pourquoi ça me plaît, la banlieue.

Parce que c'est pas comme dans les villes, y a jamais eu de forteresse de remparts, c'est pas aligné renfermé, y a pas longtemps c'était encore la campagne alors ça part dans tous les sens, pas de centre, pas de plan, pas de belles avenues bien tracées, ça se disperse comme des routes de paille, c'est pas construit démoli reconstruit depuis des centaines d'années, vaguement ça sent la rivière là juste au-dessous du béton, c'est pas beau d'accord, ça va nulle part, ça a pas de gloire pas d'histoire, ça a jamais été assiégé Bagnolet, t'as rien à respecter ici et ça résiste à l'héroïsme, moi c'est ça que j'aime, une impression que ça va pas durer, des étendues de presque rien, comme un campement, tu peux pisser sur le trottoir tu seras jamais un vandale.

Puis les jours passent. J'essaye d'écrire quelque chose mais ça vient mal. À part ma vie, j'ai pas d'idée. Je pense à Lila deux heures par jour, et pas de la pensée joyeuse. Si j'ai raté quelque chose avec elle, je rumine ça, et pourquoi elle me parlait de cul, que même des gens ont trouvé mon livre porno et pourtant j'avais adouci, pourquoi cet ange à la bouche sale sur mon chemin, et vierge en plus jusqu'à son viol, son dernier saut.

Je me dis : Chimo si tu avais trouvé le courage, même pas le courage juste l'audace un jour, tu l'aurais prise par la taille et embrassée, ça lui aurait peut-être gardé la vie. C'est les mots qu'elle disait qui m'ont empêché, sinon quoi ?

En tout cas la vue même partielle du beau cul de Mona ça m'a rappelé quelque chose : depuis plus de quatre mois j'ai mis mes couilles dans ma poche, le mouchoir d'oubli par-dessus. Au fond que je sois en taule ou à l'air libre ça change quoi ?

Trois quatre semaines après ça je suis là tout seul au Balto devant le calepin où quelquefois j'écris des notes, mais là franchement je sèche, soudain je sens quelqu'un debout près de moi, d'un coup d'œil de côté je vois la parka verte, je lève la tête et c'est lui.

Je peux pas dire si je suis content de le voir ou furieux. Il a toujours son même regard d'absence, un regard qui se pose sur rien, et il me fait :

— Je peux m'asseoir ?

Je me pousse un peu, il s'assied.

— Tu as vu Mona et Jean-René ? il me demande.

Je lui dis que oui.

— Et comment tu as fait ?

— Par hasard.

— Le hasard, il dit. Faudra bien qu'un jour on arrive à le contrôler, le hasard.

Je lui dis que même j'ai vu le cul de Mona sur le canapé.

— Elle te l'a montré ?

— Non, c'était à un autre.

— Ah oui, ils me l'ont dit. Au gros Henri. Tu l'as trouvé beau ?

— Son cul ? Oui. Très beau.

— Tu l'as enfilé ?

Je lui dis que non, que c'est pas possible, qu'on peut juste mater et si on veut toucher un peu. Dominique a un tout petit sourire de connaisseur et dit que c'est ravissant la jeunesse.

— Pourquoi vous souriez ? je demande.

Il me répond :

— Parce que Mona c'est une pute, qu'est-ce que tu vas chercher ? Elle a son petit commerce là-bas à cause des sorties de la Santé, c'est vrai que c'est une jolie idée, mais en plus c'est une vraie pute. Tu peux l'avoir quand tu voudras. Prix à discuter. Et tout est bon, c'est une perle.

— Ça veut dire quoi une perle ?

— Qu'on l'enfile des deux côtés. D'où tu débarques ?

Je remarque juste une chose, c'est que maintenant il me tutoie — moi j'ose pas vraiment encore — et question langage il se laisse aller.

Je peux pas dire que pour Mona ce soit vraiment une révélation, vu que le soupçon m'avait gratté.

— Jean-René, c'est son mac alors ?

— Et depuis longtemps, mon petit Chimo (il connaît mon nom, je remarque). Jean-René, il en a pas l'air comme ça, mais à l'époque, je parle il y a plus de vingt-cinq ans, il avait le plus bel engin de la rive droite. Et je vois pas de raison pour que ça ait changé. Il a débuté en 72 ou 73 dans les tableaux vivants de l'arrière-salle du Bobo-Club, rue Houdon en montant à gauche. Pour les touristes qui voulaient du hard en direct. Ça commençait après deux heures du matin, pas question de fléchir avant l'aube, d'ailleurs il y a des pommades un peu piquantes pour se soutenir, et il était si bien monté Jean-René que parmi les filles y aurait eu des plaintes. Des filles faites à ça pourtant. C'est te dire. La patronne, en apprenant la chose, a demandé à voir de près. Une femme dans la cinquantaine, à l'époque, et pas des plus belles. Jean-René s'est montré vaillant, pourtant c'était à la fin du spectacle, résultat il était lancé. Il a pas arrêté depuis. Des films, de tout. Cet homme-là doit tout à son travail de bite. Il la laisse marcher devant, il fait que suivre.

Il parle il parle, c'est un guichet à souvenirs, et moi encore une fois je me sens au chaud. Très agréable, la compagnie, évidemment surtout quand on est seul. Je sais bien que j'ai des choses à lui demander à mon voisin, des choses même assez précises, mais plus tard, on verra plus tard, je laisse filer.

Tout à coup il prend dans sa poche un exemplaire de *Lila* et il le pose sur la table.

— Tiens, tu me le signes ? Mais ne mets pas à monsieur Dominique, ne mets rien.

— Juste une signature ?

— Avec un mot gentil peut-être. Ce que tu voudras. Juste pas de nom, je préfère.

C'est le deuxième livre qu'on me demande de signer, après un que voulait l'avocat pour sa collection de romans cochons, que ça m'a vexé. Je prends celui de Dominique et sur la première page j'écris qu'il y a des gens qu'on est toujours bien content de revoir. Je signe Chimo et je lui dis :

— Au moins ça me rapporte un peu.

— Quoi ?

— Ben les droits d'auteur sur ce livre. Au moins vous l'avez acheté.

— Je l'ai pas acheté Chimo, je l'ai piqué. J'espère qu'ils te payeront quand même. Mais quand je peux prendre un truc je vois pas pourquoi je l'achèterais. Tu m'en veux pas ? J'ai de la peine à acheter les choses.

J'ai toujours le cœur sans méfiance je suis comme ça, même dans le monde où je vis. J'y crois encore, à quoi je crois j'ai oublié déjà, je réfléchis pas assez peut-être, je demande juste ça qu'on puisse croire à la parole, on te dit quelque chose et c'est vrai. Les jambes du mensonge ne vont pas loin, disait mon père ce menteur, il me semble qu'il avait tort, maintenant le mensonge a changé de visage il changera bientôt de nom. Je crois simplement celui qui me parle, l'homme ou la femme qui m'a remarqué, qui s'adresse à moi, les mots qu'ils disent traversent l'air jusqu'à me toucher et je les avale. Putain quand même un jour il faudra que j'arrête.

Finalement on en arrive à mon bel argent qui s'est fait la paire. On était là sur la même banquette quand je lui ai glissé la grosse enveloppe.

— Tu as dû penser que je m'étais cassé avec ton fric, il me dit alors.

C'est vrai que je l'ai pensé mais je le dis pas.

41

Un espoir ou quoi ? Il va me les tirer de sa poche, là maintenant, mes trois cent mille francs ?

— C'est pas des choses qui arrivent souvent, tu sais Chimo. Ton fric s'est tiré, d'accord, mais moi je suis là.

J'avais presque la main ouverte sur la table. Je la referme.

Il enchaîne sur les circonstances, un placement qui se présentait par la tête, au début surtout, puis sont apparues des réserves et ce qu'il appelle des restrictions, mais bon j'avais tellement insisté, lui voulait que me faire plaisir, voilà je le sens venir c'est ma faute, j'ai eu le tort de le pousser à l'accepter cette enveloppe, et j'ai eu tort c'est vrai, lui aussi il regrette, il aurait jamais dû accepter de me faire plaisir, ça lui a flanqué du remords, qu'en plus ça tombe sur un jeune artiste c'est la tristesse, remarque bien Chimo que tout n'est pas perdu, pour le moment tu récupères rien mais laisse-moi faire, les mots se cognent dans ma tête comme les boules du Loto, numéro perdant garanti, à moi la cerise, pourquoi il est venu aujourd'hui au Balto, il m'endort comme il veut il a du sirop d'opium sous la langue, que je me décourage pas surtout pour un premier coup de mépot, ça permet d'ailleurs de voir l'avantage à pas déclarer ce qu'on gagne, si l'avocat m'avait filé l'argent à la discrète j'aurais pas d'impôts à payer dessus, parce que c'est vrai sur les trois cent mille francs partis dans l'espace il faudra payer des impôts, eh oui c'est ça le lézard du système, il me tient là-dessus dix longues minutes, il m'embrouille comme un savant, une autre fois Chimo ça ira mieux, c'est juste la faute à pas de chance, d'ailleurs le livre se vend bien alors sûrement j'en ferai d'autres, ce qu'il ne voudrait pas c'est que je le prenne pour un voyou pour un arnaqueur à la confiance, parce que la confiance et la sympathie c'est sacré, et si je veux savoir pourquoi il est venu il va me le dire, il est venu pour me serrer la main, que je vais pas lui refuser sans doute.

Je lui demande où sont partis les trois cent mille il me dit que le courtier, un homme très bien natif de Grenoble, père de quatre enfants tous des garçons, est tombé raide pour un danseur martiniquais, chose que rien laissait prévoir, et maintenant ils sont tous les deux à Bahia. Voilà où il est mon argent, il se fait claquer au chaud à Bahia.

Et puis ce qu'il a gardé pour la fin :

— Tu sais, Chimo, j'ai peut-être quand même une chouette compensation pour toi. Je peux te présenter des gens, te montrer des trucs. T'as aucune idée à côté de quoi tu vis, chaque jour c'est un pas de plus vers la chose extrême. Si tu veux je peux te guider. Je te promets, j'en connais des rayons. Les autres jeunes écrivains, ils ont même pas un début d'idée de ce que toi tu pourrais voir.

— Comme quoi ? je dis.

— Tu dirais un concours, des fois. À celui qui s'écroulera le plus bas. Les devoirs de vacances des assistants du diable. T'as qu'un mot à dire, moi je t'emmène.

— Quand ça ?

— Là tout de suite. J'ai du temps cet après-midi. Tu payes les verres, on y va.

5

On arrive à la gare de Lyon vers trois quatre heures et il me dit :

— Je t'amène à la gare d'abord parce que la gare c'est le commencement et la fin. Et puis c'est public tu comprends. Si tu regardes, rien n'est caché. Laisse-moi voir un peu.

Il se plante au milieu du hall mains dans les poches, en plein dans la foule qui passe, et quand il dit « laisse-moi voir » il ferme la moitié de ses yeux et reste là bien concentré, juste avec la tête qui bouge un peu, comme un crapaud qui sent des insectes pas loin.

— Tu dirais un jeu électronique, il me fait du coin de la bouche. Je vois les voleurs, tu comprends ? Comme marqués d'une couleur particulière ou de quelque chose de lumineux. Ils se détachent de la foule. Phosphorescents. C'est un sens que j'ai, je l'explique pas.

— Et tu en vois beaucoup ? (Je commence à lui dire tu.)

— Une vingtaine ou un peu plus, comme d'habitude. Sans compter les mancheurs et les apprentis, tous les traîne-lattes, ceux qui viennent juste pour jeter un œil, comme toi. De plus en plus de filles, tu as vu ? Celle-là là-bas avec son mouflet sous le coude, c'est une tireuse. Elle s'est déjà fait un sac. Elle travaille avec le vieux à l'imperméable, là près des journaux, sûrement son père. Le tout, quand tu piques un truc, c'est qu'un autre aussitôt l'emporte. Et que tu sois toujours les mains vides au cas où.

Ça je le sais. Je fais oui de la tête.

— Tiens, il demande, qui c'est celui-là ?

Du menton il me montre un homme jeune qui porte les valises à un couple, reçoit une pièce ou deux et redescend par un escalier mécanique.

— Mais qu'est-ce qu'il s'est inventé ? Dominique demande.

Il m'entraîne, il observe un instant le mec. Il s'est posté en bas à l'arrivée des taxis TGV, celui-là. Des voyageurs descendent d'un rongeur, il s'approche et leur dit désolé que l'escalator est en panne qu'il va leur porter leurs valises par l'autre escalier, le normal. Il se présente un peu comme un service de la gare, il a une barrette à son blouson, n'importe quoi. Les gens sont surpris, pressés comme toujours dans une gare même s'ils sont très en avance, ils vérifient pas et ils montent à pied derrière le mec. Obligés de donner la pièce à l'arrivée.

— C'est dc la pctite bière, me dit dédaigneux Dominique. Faut pas perdre son temps à ça. Qu'est-ce qu'il se fait ? Trois cents balles par jour peut-être. Et en plus il trime comme un fellah.

Il reconnaît que l'idée est joyeuse parce que tout le monde le croit, que l'escalator est en panne. En panne ils le sont tout le temps. Mais trimbaler des vraies valises, tout ce coltinage pour trois cents balles, c'est de l'autopunition il dit Dominique.

Dans une gare, il m'explique, si tu pouvais soulever lc couvcrcle de la marmite, tu verrais le monde dans tous ses étages. Question d'entraînement, le regard. Un don, mais qu'il faut cultiver.

Je le comprends pas très bien toujours, par moments il parle de ses études, études de quoi ? discrétion.

D'abord, il dit, tu as tout le genre humain qui se croise dans une gare, ceux qui arrivent ceux qui partent, ceux qui ratent le train aussi, ceux qui sont là à rêver de partir. Il a connu une femme un peu seule, elle venait sur les quais de gare pour agiter sa main et son mouchoir à chaque départ de rapide. Des fois elle poussait jusqu'à la terrasse d'Orly pour dire adieu à tous les décollages.

Et tu as aussi tous les glandeurs, les mains dans les poches de naissance, ceux qui bossent, ceux qui voudraient bosser, ceux qui se sont trompés de gare aussi et qui s'énervent contre les chefs de train.

Tu en verrais des choses.

Tu verrais les dealers de tout et les fiottes en manque de manche, tu verrais les visages pâles, les gorges râpées, ceux qui ont les narines comme un tamis et le creux des bras en nid à moustiques, les renifleurs et les baveurs, ceux qui peuvent plus se branler parce qu'ils ont les mains qui tremblent, les égarés les ratatinés les suiveurs d'enfants, les tellement pauvres qu'ils ramassent pour les bouffer jusqu'à des pelures d'orange, les titubants les gesticulants les presque morts, les paquets de pouilleux, ceux qui parlent seuls et à haute voix mais sans se comprendre, ceux qui viennent tous les matins se jeter sous les roues d'un train, mais les trains roulent trop lentement dans les gares, ils se disent en rentrant le soir.

Tu verrais tout ça.

Le butin principal évidemment dans les gares c'est les valises, quelquefois par chariots entiers, un jour de grève à Orly Sud une bande a piqué les bagages de tout un avion, ça c'est mémorable dit Dominique, et puis aussi les sacs à main, les vêtements chauds, le chien de bon luxe. Ils sont là comme des bulles dans un ruisseau, les bousculeurs, les pickpockets amoureux du désordre, souvent à l'arrivée d'un train en bout de quai tu vois des gens qui attendent et même qui agitent la main, en réalité c'est des voleurs et ils repèrent les oiseaux. Toujours ils travaillent à deux trois, un qui distrait, un qui soutire, un qui emporte.

Le coup fameux c'est quand ils font semblant de connaître quelqu'un, ah toi alors salut mais qu'est-ce que tu fous là ? le pigeon pour deux trois secondes est hors garde, c'est ça le but, le tout petit moment d'inattention, et tout est bon pour étonner, même une épingle que tu plantes dans le cul des femmes au passage, elle crie, elle se retourne, envolé le sac.

Dominique me dit comme en rêvant :

— Il y a pas loin de quatre milliards de femmes sur la planète, ça fait combien de sacs à main ? Y a des femmes qui en ont pas, c'est vrai, mais y en a d'autres qui en ont soixante alors calcule.

Ça le fait penser, ces trucs-là. Il aime les chiffres.

Il me dit aussi qu'il faut pas s'incruster dans la même gare sinon évidemment tu te fais repérer, tu penses bien que la police est sur le coup et ils en savent des combines. En plus ils se déguisent en mecs quelconques, comme ils disent ils se banalisent, ils se mettent même en voleurs, des fois tu dirais que ça les amuse.

— Tu les vois aussi les flics ? je lui demande.

— Je les vois mais c'est moins facile. Et je les vois en rouge, figure-toi. Les voleurs en vert et les flics en rouge. Faudrait que j'en parle un jour à un spécialiste de la vision, qu'il m'éclaire un peu.

Et puis il me dit quand même que les flics généralement ils laissent filer, vu que pour eux c'est du rabais, de la fritaille.

— C'est pour ça que la délinquance est en baisse, il m'explique, parce que les prisons sont pleines et que les flics arrêtent moins qu'avant. Alors forcément, dans les statistiques, ça fait plus honnête.

Dominique c'est l'homme calme, genre plutôt blond sans vigueur vraiment dans le corps, assez mou d'allure et les poignets fins, un mec à se glisser partout, avec cravate toujours quand même et ce regard d'huître, quelque chose de pas décidé de pas clair en lui, comme de l'eau grise. Il a pas de démarche par exemple, ça peut changer à la minute du racle-patins à l'élégance, je l'imagine pas faire du sport ni jouer aux cartes, c'est un réfléchi, un détourné, toujours à regarder quelque chose ailleurs, avec les yeux, quand tu ne t'y attends pas, soudain tout trempés de poison. Plus tard il m'a dit : J'ai toujours été un insoumis grave, mais pas l'excité, moi je dis, à jeter des bombes par les portières, pour faire de la planète un feu d'artifice, l'insoumis froid, tout à l'intérieur bien déterminé, avec ses idées prises dans la glace.

J'écris ça là et je pense qu'un jour, ça aussi plus tard Dominique me le dira, un jeune voyou fauche un sac justement comme ça dans une gare et s'en va avec, mais dans le sac y avait une bombe, ça a pété un peu plus loin et le mec a fini la journée au paradis des affranchis. On l'a pris pour un martyr d'un côté et pour un beau salaud de l'autre, lui qui était rien de plus qu'un tireur anonyme (j'écris ça maintenant sinon après j'oublie).

— Tiens Fabrice est là.

Il me montre à cinq six mètres un homme jeune et sans épaules, trente ans maximum, accoudé nonchalant à une rampe derrière des lunettes maigres, fondu dans l'espace, faut faire un effort pour le voir, la bouche ouverte et même à distance l'air un peu concon, cinq ou six poils de barbe et des habits à pas décrire.

— Lui c'est le génie, me dit Dominique.

Pour la première fois comme une émotion dans la voix.

— Le voleur né, il continue. Il ferait autre chose, la nature protesterait. Il a le pif, tu peux pas savoir, il voit les choses que les autres voient pas et puis c'est Dieu qui tient sa main, ça je l'assure. Un génie vrai, un pur. Un sens. À distance il peut te dire si une porte est fermée à clé. Je te le dis, tombé du ciel la poche ouverte.

Viens, je te présente. T'étonne pas s'il a l'air abruti c'est son genre.

Chimo un jeune écrivain de talent, mon ami Fabrice, salut salut. Il a l'œil bête énormément, la main qui te tombe des doigts. Ça va, il dit. Pas plus que ça. Là il fait pas grand-chose, il regarde, ça va. Il aime bien les gares, quoi. Parce que ça bouge au moins, c'est pas comme les cimetières. Le boulot ? Il sait pas. Il attend Amira, il va voir, ça dépend. Il dit à Dominique :

— T'aurais un tampon ?

— Quel tampon ?

— N'importe.

Dominique plonge dans les poches de sa parka et miracle en tire un tampon et même un encreur. Impossible de s'attendre à ça dans une gare.

— Je sais pas d'où il vient, dit Dominique.

— On s'en fout, fait l'autre.

— Tu as raison. Qui a jamais regardé d'ailleurs ce qui est écrit sur un tampon ?

Il m'a jeté un œil en disant ça, façon de voir si je les suis.

— Ça va sinon ?

— C'est mou. On a repéré une cave facile dans le quatorzième. Au moins trente petrus dedans, du cheval-blanc et du lafite.

Dominique part en extase, moi je comprends rien à tous ces noms et à d'autres encore. Mais c'est comme s'ils dansaient chez les anges, les deux.

— Ça vient d'un héritage, le connaisseur est mort avant d'avoir tout bu.

— C'est plutôt con, dit Dominique.

— Je trouve aussi. Et les enfants savent même pas ce que c'est.

— Tout se perd.

— Ça dépend pour qui, moi je dis après Dominique.

Sans rigoler ils me regardent tous les deux, pas de raison de plaisanter ils semblent dire. Pourquoi des fois j'essaye d'entrer dans une discussion quand j'ai rien à dire, ça je sais pas. Il faudra un jour que je me corrige. Les deux ils sont super-sérieux. Étonnés même que je parle.

Alors je me ferme. Je regarde Fabrice et je peux pas croire que ce yaourt soit l'as des as. Boutonneux des joues en plus, la chemise vieille. Sincèrement ça me dépasse, le génie. Plus tard Dominique m'expliquera le grand principe, que jamais avec les flics ou avec personne il faut jouer au petit mariole, au mec à la cervelle fière, au grand insolent offensé. Jamais ça. Au contraire il faut s'écraser, jouer le front bas l'œil épais, avec la mine de celui qui sait pas, mais qui sait pas du tout pourquoi il la conduit cette voiture le demeuré, elle est pas à lui tout le prouve, pourquoi alors il est assis derrière le volant, ah bon elle est pas à moi ?

Où tu l'as piquée ? Piqué quoi ? Il répète les mots, il comprend rien à rien il bafouille il devient tout rouge, pour un peu il chialerait là sur le guidon des motards. Faut jamais comprendre, jamais jamais. Ça évite de protester. Les flics ils ont retrouvé la bagnole ils sont bien contents, la bagnole de toute manière a plus d'importance que toi, toi tu es là par hasard, le débile de l'autoroute, tu vas pleurer tu sais rien de rien de la vie.

Arrive une fille dans les vingt-cinq ans maximum, jean et blouson, elle s'amène avec un sac en plastique plus un gros paquet de billets en disant que ça y est, c'est prêt, ça sort tout frais de l'imprimante. Pas des billets de banque attention, des billets tout court marqués trente francs grande tombola nombreux prix, aussi sec ils se mettent à les tamponner, faut que ça fasse vrai pour un moment explique Fabrice, que personne aille vérifier, les ordinateurs ont ça de bien que tu as plus besoin d'imprimeur, explique Dominique en tamponnant, un imprimeur c'est toujours indiscret, Fabrice met sur chaque billet comme un griffouillis signature, moi je regarde Amira naturellement, je suis comme ça avec les filles faut toujours que je les regarde, une fille tu vois tout de suite si elle est belle c'est un éclair de vérité, je suis déjà monté sur un nuage et je m'en vais loin de la gare, qu'est-ce qui m'arrive encore je me dis, celle-là elle vient d'ailleurs avec un sourire de nuit, des yeux si noirs que tu te demandes comment on peut voir avec ça, normalement la lumière devrait s'y perdre, je suis pas sûr qu'elle m'ait remarqué déjà, tout affairée avec ses papiers, elle en fait des petites piles, un sourire au passage quand même, putain qu'elle est belle, pas possible je me dis qu'elle soit avec le yaourt ou alors adieu la pensée.

Elle me tend un paquet de billets et elle me dit :

— Tiens, Chimo.

Je prends le paquet, je sais pas quoi faire. Sûrement on va me le dire.

Moi si on veut m'avoir il faut me prendre dans les bras, je veux dire il faut m'accueillir, il faut m'abriter comme si j'étais du groupe, un de la bande. Je demande que ça au fond être avec les autres, alors je m'assimile vite, ceux qui m'acceptent tout de suite je commence à leur ressembler, par exemple ils seraient des flics j'aurais déjà un uniforme, j'ai besoin de pas être seul, déjà c'est terrible quand tu écris, là seul tu l'es obligatoirement tu es en face de personne, comme l'année dernière dans mes ruines et encore tous ces gravats ça me poussait à travailler, je faisais ça comme un plaisir, maintenant j'ai une piaule et plusieurs stylos c'est davantage de panique.

Des fois quand je suis avec d'autres, comme

avec Jean-René et la belle Mona, je sens que ça va que je suis tranquille, le ciel va pas crever et lâcher sur moi des corbeaux, je sens même pas la nécessité d'argent ou d'être connu, être ensemble avec des gens ça suffit pour vivre, des regards sur toi un café tendu et c'est bien assez. Le problème c'est que voilà : tu dis ça et tu fais autrement. Moi comme les copains. Tu as rien, tu veux encore plus.

Une autre manière de voir mon cas c'est de dire ça : on a jamais vu un morceau de viande ressortir de la gueule du tigre.

— Les guirlandes ? demande Fabrice.

— Dans le sac, répond Amira.

— Alors allons-y, fait Dominique.

Nous voilà partis tous les quatre, vers quelle direction j'ignore, nous sortons de la gare, nous allons là dehors où des voitures sont garées le museau contre le trottoir, ils inspectent toutes les bagnoles, finalement Dominique montre une Clio et dit aux autres :

— Celle-là ?

— Plutôt l'autre là, fait Fabrice, il pointe son doigt sur une Twingo.

— Elle fait moins neuf, dit Amira.

— Mais elle est rouge, dit Fabrice.

Les deux autres se rangent à l'argument, moi j'ai pas d'avis je suis dans le sombre.

— Aide-nous, Chimo, me fait Amira.

Je suis d'accord pour aider mais à quoi ? Je

vois qu'ils prennent des guirlandes de papier dans le sac et qu'ils commencent à les accrocher à la bagnole, je fais de mon mieux moi aussi, en dix minutes la Twingo s'est pris un air de cadeau de Noël.

— Tu les as eues où, les guirlandes ? demande Dominique.

— À la salle des fêtes de Rosny-sous-Bois, répond Amira. Elles ont un peu servi mais ça se voit pas je trouve.

Elle dispose maintenant une espèce de pancarte en gros carton blanc sur la vitre arrière. Écrit dessus : *PREMIER PRIX TIRAGE CE SOIR.*

Tous les quatre on commence à vendre les billets.

— Tirage ce soir ! annonce Dominique aux voyageurs qui sortent de la gare.

Y en a qui s'arrêtent et qui examinent le lot. Combien le billet ? Trente francs, c'est pas cher madame. Et pour une œuvre en plus, on se dépêche. La maison Renault a offert de bon cœur le véhicule. Tirage ce soir à la mairie du douzième, à deux pas d'ici. On vend pas mal, assez vite on commence même à brader. Deux billets pour cinquante francs ! crie Amira. La tombola de la rentrée ! elle ajoute. Au profit de **ceux** qui en ont besoin. Cinquante francs tirage ce soir à la mairie ! Les poches s'ouvrent.

Y en a qui voudraient essayer les sièges mais c'est fermé.

Ce soir à la mairie en présence du maire ! Avec le concours gracieux de la Garde républicaine à cheval ! De nombreux autres lots de grande qualité ! Trente francs le billet, deux pour cinquante francs, six pour cent francs allez pour les finir !

J'entends Fabrice confier à quelqu'un que la chance est souvent dans les tout derniers numéros vendus. L'autre allonge deux fois cent balles. Il en prend douze.

Ça diminue vite, les petits paquets. Je m'y mets moi aussi, je fais l'article comme je peux, tout à coup un couple sort de la gare avec des sacs, ils cherchent une bagnole par là ils ont du mal à la reconnaître sous les guirlandes. L'homme s'approche et dit à Fabrice :

— C'est ma voiture, là.

— La Twingo rouge ? dit Fabrice, et c'est pas croyable ce qu'il a l'air bête à ce moment-là.

— Oui, dit l'homme, la Twingo là.

— C'est votre voiture ? il fait Fabrice, comme si c'était vraiment dur à assimiler.

— Oui, dit le monsieur, c'est ma voiture.

— Et vous voulez jouer quand même ? demande Fabrice crétinisé. Vous avez le droit.

— Jouer à quoi ? demande la femme du monsieur.

— C'est un jeu-surprise. Ça coûte trente francs le ticket. C'est les derniers là.

— Mais c'est quel genre de jeu ? demande encore la bonne femme, qui voudrait savoir.

— Un jeu-surprise. Trente francs le ticket.

— Il y a une caméra quelque part ? demande l'homme en regardant à droite et à gauche, et même on dirait qu'il se marre un brin, l'idée de passer à la télé.

— C'est pas impossible, répond Fabrice. Si vous voulez je vous en mets quatre pour cent francs.

— On gagne quoi à votre jeu ? demanda la femme en payant.

— Il faut que vous teniez ça, répond Fabrice. Regardez par là s'il vous plaît. Juste trois secondes.

Il leur a déjà pris leur pognon et c'est beau le génie quand même. Il vient de finir ses billets. Il leur tend le bout d'une guirlande à chacun et ils se tournent obéissants vers l'arrière de la voiture. Soumis tranquilles, avec un bon sourire.

Alors Fabrice se baisse et prend les deux sacs qu'ils ont posés là sur le trottoir. Le temps de respirer une fois et la foule l'a effacé. Comme une buée, comme une ombre.

Dominique, Amira et moi on a pris du large déjà. Des fois que des témoins pourraient nous reconnaître. Mais je les regarde de loin, ça m'intéresse un peu quand même ces méthodes.

Les deux bourgeois restent là un petit moment tenant les guirlandes. La bonne femme se retourne en souriant, genre je partage votre distraction à notre âge on s'amuse encore, elle voit plus Fabrice elle voit plus les sacs non plus, de loin j'entends pas ce qu'elle dit mais elle appelle son monsieur, il se retourne lui aussi il voit la chose, tous les deux d'ailleurs ils se mettent pas à gueuler, peur d'aggraver le côté risible peut-être. Ils font plutôt mine de rien, n'ayons pas l'air d'avoir été piégés voilà, l'homme alors cherche un truc dans toutes ses poches et le trouve pas, c'est sûrement la clé de la Twingo, justement sans doute ils l'avaient rangée dans un des deux sacs.

6

Je me dis méfie-toi à pas te laisser endormir par Dominique et par les autres. N'oublie pas ton beau fric envolé chez les parallèles. Réclame.

N'oublie pas aussi que tu es con Chimo. Con à lécher le bâton qui te cogne. Et tu le sais. Des jours tu es là tout engourdi à te dire que Dominique va les sortir de sa poche les trois cent mille et te les rendre. Con à croire ça. À croire que les nuages sont assez solides pour te transporter jusqu'à la banque.

Souvent je me plante devant ma glace et je me fous des gifles en me traitant de retardé, de pauvre idiot, de sans cervelle. Tu te laisses avoir, tu manges tous les mots qu'on te dit comme de la crème. Tu te grattes à travers la botte en jurant que ça te soulage. Tu es un aveugle un minus, tu serais un cochon tu aiguiserais le couteau pour ta gorge. J'en ai toute une litanie comme ça et j'en invente chaque jour. C'est mon premier jeu du matin. Y a pas plus insulté que ma glace.

Ce monde n'est pas fait pour les cons ni pour les gentils, je me dis et je me répète, il est pas fait pour les avaleurs de bobards, pour les oreilles ouvertes aux jolis vents de la promesse, il est pas fait pour les innocents les naïfs — mais qui sait quand même ?

Celui qu'on va pendre, jusqu'à la dernière respiration il garde l'espoir que la corde casse.

Pour le moment je reste avec eux, on se balade, ils me montrent des coups, je remplis mes sacs. Bref ça me profite et je me console avec.

Dominique me raconte un jour au Balto, où ils acceptent que je leur paye à boire :

— Fabrice avec les bagnoles tu devrais voir. Rien qu'avec ça tu pourrais faire un livre mais tu donnerais trop d'idées aux gens. Il invente des trucs, tu m'entends, c'est un inventeur ! Dans un domaine où tu croirais que tout existe !

— Quoi par exemple ?

— Le coup de la torche c'est à lui.

— C'est quoi la torche ?

— Il a inventé une torche avec de la graisse et je sais pas quoi, ça fait une grosse fumée noire. Alors il s'amène, il repère une belle bagnole à un feu rouge, une Mercedes de préférence il a un faible pour la marque, capital qu'il y ait juste un mec au volant, vite il s'approche il allume sa torche, il la pose par terre derrière la voiture puis il va frapper à la vitre : monsieur monsieur votre voiture brûle ! L'homme jette un coup d'œil arrière, voit la fumée sort en panique, le temps qu'il découvre la torche Fabrice est au volant, roule carrosse. Ah ! c'est superbe.

Dominique insiste sur la beauté de l'idée et sur le détail du travail : faut repérer un feu rouge assez long dans un endroit bien dégagé, fixer le timing, savoir jouer l'affolement, démarrer au feu vert surtout et en souplesse pour que les flics ils te repèrent pas. Le reste c'est de l'habituel, maquillage et expédition de l'objet, il y a de bons circuits pour ça.

— Fabrice c'est le geste qui l'intéresse, c'est même pas la possession, l'argent. Il est pas riche, avec le don qu'il a. Je crois qu'il file du pognon à des œuvres de charité.

Amira jure que c'est vrai, de belles sommes.

— Mais c'est le voleur né, voilà. Sa nature oblige. Il pourrait pas vivre autrement. Le matin souvent il se lève vers cinq six heures, il s'amène dans les beaux quartiers du commerce, c'est bien le diable s'il tombe pas sur une Portugaise en train de laver le devant de porte, devant une boutique de bijoux ou bien de fourrures, il voit qu'elle a laissé la porte ouverte, le lendemain matin il revient, à cette heure-là les rues sont vides et il trouve toujours un truc, votre mari a eu un accident, l'ambulance est là au coin de la rue, ou autre chose, il faut déstabiliser la personne c'est l'essentiel, créer la minute de trouble. La bonne femme laisse le balai, elle fait quelques pas affolée, se ravise pour revenir fermer la porte mais Fabrice est déjà dedans. Seul et tranquille pour quelques minutes il le sait, le temps qu'elle aille au coin de la rue et retour. Il choisit vite les objets qui lui plaisent et sort par-derrière en cassant du verre.

— On lui connaît même pas de femme, dit Amira.

Ce qui en un sens m'éclaircit, au moins elle est pas avec lui.

— On lui connaît pas de plaisir, dit Dominique. Seulement de piquer une bagnole et partir avec, des fois il met une casquette et joue à son propre chauffeur, comme ça on lui demande pas d'où il vient le beau véhicule. D'autres fois, la nuit surtout, un cognac dans le nez, il appelle les flics au téléphone, leur dit qu'il est dans une voiture piquée donne même le numéro, où il se trouve, qu'ils viennent l'attraper s'ils peuvent. Pour preuve il fait crier les pneus. Les flics déboulent avec leurs caisses bien pourries et c'est parti la course dingue, jusqu'à maintenant il s'en est tiré mais un jour qui sait.

Il m'en raconte comme ça longtemps, et le charme que tu prends à violer une maison bourgeoise avec tous ces objets qui dorment, il me raconte aussi les coups de légende vers 1900 c'était le maximum, surtout pour les métaux que maintenant ça vaut plus rien, les toits en zinc par exemple on les enlevait des fois comme un chapeau avec la famille dormant dessous, ah il en faut de la délicatesse, et des lions métalliques aussi une fois dans la cour du Louvre, avec des treuils et des camions, affaire énorme.

Les casses les gangsters otages et armes à feu, tout ça ne vient qu'en deuxième rideau, c'est de l'évident, fait pour ceux qui n'ont pas le don. Lorsque tu vis en parasite, dit Dominique, évite de saigner ton bienfaiteur. Les poux ont besoin de sang frais. C'est le genre de conseils qu'il donne, conseils à des poux.

Amira connaît un proverbe de son pays : fais le bien et jette-le dans le fleuve, un jour il te reviendra dans le désert. Elle dit ça avec sa voix qui vient de l'est, d'où exactement je sais pas.

C'est vrai aussi pour le contraire, fait Dominique. Tu tires un coup de feu en l'air, ton ange gardien tombe raide.

C'est ça pour le moment notre philosophie.

Avec des trucs à se marrer aussi. Dominique connaît la femme d'un maton qui baise avec un repris de justice, comme quoi ça sort pas du cercle. Elle baise dans la journée, qu'elle a libre, tandis que l'époux est en taule à faire son job. Des fois aussi le week-end elle sort promener le chien et elle rentre trois heures après, elle a l'air fatiguée vannée, le chien s'est échappé elle raconte, j'ai couru partout ah ! si tu savais, non mais quelle histoire.

Un truc aussi qui est arrivé récemment à quelqu'un (à Dominique je soupçonne mais il avoue rien), fin de partie, un mec emmène une fille dans sa piaule, ils se pieutent et vont pour baiser, elle lui enfile une capote et ils sont tellement crevés que lui débande et ils s'endorment. Au petit matin il se relève et va pisser, les yeux encore collés par la nuit, tout à coup il sent une chaleur autour de sa bite. Il avait oublié de se retirer le latex, il pissait dedans.

On est là au Balto, Amira lit les petites annonces et moi j'écoute Dominique, je prends des notes dans ma tête, cinq ou six heures après midi, voilà Mona la brune qui vient s'asseoir lunettes noires et l'air pas frais. Dominique voit tout de suite le dégât, demande la cause. Ça peut être que Jean-René, il imagine. Elle soulève un peu ses lunettes avec son ongle à vernis mauve et on voit des ombres autour de ses yeux.

— Ça a tapé ? dit Dominique.
— Comme une grêle.
— Tu avais fait quoi ?

— Rien justement.

Elle me regarde un peu l'air de dire qu'elle est gênée devant un jeune. Dominique saisit le regard et lui dit :

— Tout jeune qu'il est, il a vu ton cul.

— Ah, je te reconnaissais pas.

Et en plus elle dit pardon.

Dominique alors la met sur les rails. Qu'elle s'ouvre et ça ira mieux. Sinon les amis ça sert à quoi ?

Ce qui se passe simplement c'est que Jean-René l'oblige à faire des choses qui sont pas propres.

— Quelles choses ? dit Amira qui s'intéresse.

Quoi exactement, pourtant on insiste un peu, Mona le dit pas, sinon que c'est avec plusieurs et que ça dépasse les yeux. Elle est bien d'accord pour rendre service et pour soutenir le ménage vu que Jean-René se la coule molle, mais le moment vient où elle en peut plus toute bonne et douce qu'elle est. Alors elle dit non, s'il te plaît non pas ça, et la machine à bosseler se met en marche.

— Mais quoi ça ? demande Amira. Y a pas moyen que tu nous dises ?

— Si tu demandes encore je m'en vais. Je suis venue, j'avais besoin d'amis.

— C'était pour t'aider, lui dit Amira. Pour mieux te comprendre.

Dominique a comme une envie de détendre la situation. Il dit à Mona :

— J'avais un copain, un pas très costaud, il a tellement battu sa femme qu'il en est mort.

Mais Mona ça la fait pas rire. Elle trouve ça moins que drôle.

Moi je lui dis : excusez-moi mais je croyais que c'était que pour regarder.

— Il y a regarder et regarder, elle me répond. Tout dépend jusqu'où tu regardes et avec quoi.

Amira fait oui de la tête comme si elle comprenait, mais ça me reste mystérieux, je regarde Dominique qui me fait signe : il m'expliquera. Mona boit un porto blanc qui la remet un peu, et même un autre.

— Les hommes qui battent les femmes, dit Amira, en général ils ont pas eu de père.

Dominique est pas d'accord avec elle vu qu'il connaît un mec qui justement et cætera, ça discute un petit moment sur la famille aujourd'hui tout ça, aucun intérêt moi je trouve.

— Dis donc Domino, elle demande alors Mona, tu sais pas où je pourrais coucher ?

— Tu retournes pas chez toi ?

— Ah ! non pas ce soir. J'attends un peu que ça se calme. Les autres y sont toujours en plus. Si tu voyais dans quel état !

— Ils sont dedans ?

— Jusqu'aux oreilles.

Je voudrais bien savoir qui sont les autres et dans quoi ils sont, la langue me gratte mais j'ose pas. Mona s'est assise à côté de moi cuisse contre cuisse et son parfum me descend jusqu'au ventre. Je peux pas dire ce que ça diffuse, j'y connais rien, mais c'est pas fait pour reposer les sens. Sa robe fendue en plus, et ses souliers rouges.

— Y a bien la chambre à Chimo, dit Amira.

Elle me regarde directement et il me semble bien qu'elle se marre un peu, la jeune fille aux yeux d'amandes noires. Deux brunes, je me dis très vite. Ça gagne, le foncé, ça gagne.

Mona me regarde et c'est lourd.

— Tu as une chambre ? elle demande.

— Il a qu'un lit, répond Dominique à ma place, mais c'est vrai qu'il est assez large. Pour une nuit il pourrait t'accepter. Non, Chimo ?

J'ai pas à hésiter longtemps pour dire oui, c'est l'occasion surnaturelle, mais c'est elle maintenant qui nous fait les petites lèvres. Dormir avec un inconnu, elle a l'air de craindre. Elle voudrait pas passer pour quelqu'une.

— Il est gentil Chimo, fait Amira, l'air de penser que je suis sans danger.

Moi je promets sécurité tranquillité, que je peux même coucher par terre j'ai l'habitude, la question n'est pas là elle dit, mais elle a pas de dentifrice ni rien. Du dentifrice et une brosse à dents ça tombe extra, Dominique en a justement dans sa parka et les lui prête. Mais tout de même elle est pas sûre, il lui faudrait aussi une nuisette et de la crème. Elle veut bien tout ce qu'on voudra (manière de parler au moins) mais elle peut pas se mettre au lit sans se nettoyer la peau et les yeux. Une brosse à cheveux aussi.

— Chimo peut t'amener à Monoprix, fait Amira. Ils ouvrent jusqu'à sept heures. Là juste en face.

Mona regarde sa montre, ça veut dire qu'elle est d'accord.

Nous voilà tous les deux dans le Monoprix place Jean-Moulin. L'avocat a faxé quelque chose à la banque, ils m'ont avancé encore quarante mille alors je claque, ça paraît énorme comme somme mais c'est du sable, j'ai payé les verres au Balto, au Monoprix je paye les crèmes, elle en profite pour en prendre plein, du parfum aussi, et la nuisette elle la choisit rose. Elle prend aussi des bas, ça lui fait défaut, deux brosses deux rouges à lèvres un truc pour les yeux, je sais pas quoi encore et puis aussi un autre dentifrice, elle aime pas celui de Dominique.

Je suis là comme un grand, je fais mon marché avec ma femme pour ainsi dire, une brune des plus visibles aux lunettes sombres, qui c'est celle-là elle déplace vraiment les yeux, les mecs la reluquent ça me satisfait. Seul avec une femme qui prépare sa nuit.

Ce qui me tue toujours, comme avec Lila : comment savoir ce que veulent les femmes ?

Elle aurait envie d'une choucroute à la brasserie, avec tout ça elle a pas déjeuné naturellement je l'invite, les autres hommes me regardent à l'entrée et je roule un peu. Elle me raconte des histoires sur sa famille, qu'elle est fâchée avec sa mère, une autoritaire, d'ailleurs son père est mort de soumission, elle a deux frères aussi, un qui est médecin l'autre qui est malade.

Elle parle, elle parle et moi je me demande : je vais me la taper ou quoi ?

Avec tous ces taulards qui viennent la mater, elle admet, ça lui arrive de côtoyer des malfaiteurs, d'entendre parler de choses pas claires. C'est fou Chimo, elle me dit, c'est fou ce que tu peux voir comme déréglés ça me fout la trouille. Les hommes tu les sens capables à chaque moment de tirer un couteau et de te trancher l'entrejambe. C'est une sensation qu'elle a, Mona : tous des poignards. C'est devenu plus facile de tuer. Avec deux briques demain matin tu peux faire égorger ton frère. C'est quoi deux briques ? Et des tueurs il en naît partout chaque jour. Pas la peine de chercher loin, y en a quatre ou cinq ce soir dans la brasserie. Tu en es peut-être un elle me fait, toi que je connais que du bout des yeux.

Elle parle avec cette voix masquée qui vient de très bas, une voix passée par des endroits chauds. Elle s'arrête pour manger puis elle reparle. Elle voulait faire du chant quand elle était petite, mais c'est la forme de son cul qui l'a perdue. Des fois elle regrette qu'il est ce qu'il est. Comment faire ?

Son nez droit, son menton qui s'avance : j'ai l'impression que je l'ai volée dans un musée qui existe pas. Quand les gardiens s'en apercevront, ils vont me traquer.

Ses yeux je les vois à peine sous les lunettes. Comme si elle me regardait sous la mer.

Avec elle je me sens vieux, ça me fait drôle, je commande un sorbet cassis Mona préfère une tisane sinon après elle dormira mal, en quoi je vois un mauvais signe en plus elle est tellement fatiguée elle ajoute.

Après on va chez moi, deuxième à droite, elle avec ses affaires de nuit dans un sac plastique, moi derrière son cul comme un sultan, les yeux dans le mouvement de ses fesses, pour qui elles dansent ce soir ?

Elle entre elle fait c'est mignon chez toi, chose qui est pas vraie, direct elle s'en va dans le cabinet de toilette et me dit couche-toi j'arrive, moi j'obéis, nu ou pas nu ? Je me décide à garder un T-shirt, j'ai peut-être tort. J'attends là dans mon lit peut-être vingt minutes, à côté je l'entends qui s'affaire et même qui pisse, déjà la tisane, un jet très sonore dans la cuvette, enfin elle arrive avec sa nuisette et sans ses lunettes.

Vision là dans ma chambre de l'objet de baise idéal, fait rien que pour ça, pénétrable immédiatement partout tu le sens, la chair belle, faite pour la main, la nuisette juste au ras des fesses et la touffe noire qui s'entrevoit si bien bombée, y a pas à se demander à quoi ça sert c'est l'appel au plaisir des hommes, ça rayonne et même ça crie.

Vision déception aussi, ultra-rapide, vu qu'elle me dit la main sur la chatte : éteins, tu veux bien ?

J'éteins elle s'approche, elle s'allonge près de moi parfum d'abord.

Juste maintenant une fin de lumière monte de la rue, j'ai des rideaux minces, et Mona près de moi dans mon lit, elle soupire elle bouge un peu elle arrange le drap la couverture et puis plus rien, pas un bout de doigt qui remue.

Je me demande si je dois faire quelque chose, agir un peu. Je suis là, je cherche dans ma tête, alors la voix de Mona déchire doucement l'ombre et je l'entends :

— Le problème avec Jean-René d'abord c'est sa queue. Grosse et dure qu'on peut pas croire. En 74 il a joué dans un film à Copenhague, on lui mettait des poids autour, tu sais des cercles en métal, au moins trois ou quatre, et il tenait bon. Les Danois en ouvraient des yeux. Je t'assure, je l'ai vu la prendre dans la main et casser des assiettes en la tapant dessus. De la vraie faïence. Même on voulait qu'il fasse un numéro avec ça, à l'époque c'était possible encore.

Mais une bite grosse et dure, elle me dit, c'est pas forcément un régal. Au début oui ça t'impressionne, ça fait superman, métal des planètes, en plus tu crois que c'est toi la cause, mais à la longue c'est même plus humain et il est comme ça avec toutes les filles, alors tu te lasses. Toute la journée du fer dans le corps. Tu as envie d'une chose plus sensible et plus hésitante.

Je suis là dans le noir je l'écoute et j'ai chaud. L'espoir qu'elle va parler longtemps même fatiguée. Je cherche quoi dire et je trouve pas, comme un acteur qui oublie son rôle ou alors qui l'a jamais su.

— Et le moment où il te prête à d'autres, c'est dur à comprendre pour toi peut-être, un jour à la maison sans me prévenir il me dit : tu le suces un peu mon ami ? Ça fait si longtemps qu'il en rêve. Je suis surprise mais je le fais, même ça m'amuse qui sait, j'ai un peu bu peut-être aussi, l'homme est gêné autant que moi puis ça s'arrange, je me rends pas compte où je m'engage, je regarde cette bite inconnue qui

vient d'apparaître et en plus Jean-René me fait
des compliments, il dit à son ami qu'il va voir
un peu c'est du haut de gamme, toutes les
femmes aiment entendre ça alors je m'applique
comme si j'aimais, ce jour-là d'ailleurs Jean-
René m'a enfilée en même temps je me rappelle, ça aussi toutes les femmes voudraient le
connaître au moins une fois, faire mousser
deux hommes ensemble, après que j'ai sucé ils
ont changé évidemment, j'aurais dû y penser
plus tôt, son ami m'a défoncée comme un
énervé sur le canapé que tu as vu, je pouvais
rien dire, tu as accepté ça une fois tu es cuite,
je regardais Jean-René dans les yeux parce qu'il
aime ça dans ces moments-là mais que j'avais
honte.

Après je te raconte pas.

Si justement je voudrais bien qu'elle raconte.

Elle dit juste ça avec comme de l'émotion :

— Un jour tu apprends qu'il fait payer. Tu
deviens une pute sans t'en rendre compte et tu
descends de plus en plus, tu peux pas savoir. Et
si tu résistes il te frappe. Ne me force pas à te
dire tout, tu m'aimerais plus. Tiens il faut dormir bonne nuit.

Subitement elle vient sur moi, je sens sa chair
qui me recouvre, elle me plante sa langue dans
la bouche un temps qui me paraît immense,
cette pointe de chair qui bouge, puis elle se
retire et se tourne sur le côté son cul vers moi,

j'entends encore une fois bonne nuit et déjà elle dort je crois.

Moi comment dormir ? Mon cœur va si vite.

Ça dure un moment le silence puis sa voix me dit :

— Je te fais bander, je suis désolée.

Elle l'a senti sans toucher. C'est des choses qui se devinent, aux faibles mouvements des draps peut-être.

— C'est rien, je dis.

— Dors, ça va passer.

— Oui.

Encore ce silence sombre, très peu de lumière à la fenêtre, des formes vagues dans la chambre, deux respirations, et la table avec mes cahiers.

— Je peux pas faire autrement, elle me dit. Dès que les mecs me voient ils bandent. C'est pas ma faute. Jean-René dit que j'ai un cul à faire bander les soldats de plomb.

Ça la fait marrer un peu de dire ça, pas moi.

Elle me dit aussi qu'aujourd'hui justement elle a des parties du corps qui sont très sensibles. Des jours comme ça.

Et puis encore le silence et moi tout ardent. Ça m'occupe la tête entière. Y a rien qui peut se comparer à cet état-là dans la nature. Je sais pas comment me diminuer, je me vois bander jusqu'à l'aube.

Et maintenant ça :

— Tu veux que je te suce un peu ? Juste pour t'aider à dormir ?

— Je veux bien, je dis.

— Mais tu le diras à personne au moins ?

— Je le dirai pas.

— Bouge pas alors.

Elle se retourne lentement, sa tête s'enfonce sous les draps, d'une main elle prend ma bite et la caresse puis doucement viennent les lèvres, c'est humide et chaud comme un fruit l'été.

La nuit a changé de couleur, je vois des choses qui sont pas dans la chambre, son cul exposé sur le canapé, deux sauvages qui se la partagent, des secousses à ses souliers rouges, tout ça me passe à toute vitesse dans la tête, les jambes nues jusqu'en haut de Lila sur la bicyclette, des souterrains des tunnels mouillés sa main qui s'agite, sa langue, je me sens comme plein de sources, j'imagine que je la vois en train de faire ce qu'elle fait, je m'enfonce dans des endroits obscurs, elle sent venir elle va plus vite mes yeux se ferment, mon dos se tend, mes mains tiennent le drap, je lui lâche un fleuve dans la bouche.

Puis je m'endors tout de suite ou presque, c'était fait pour ça sûrement. Le matin elle se réveille avant moi, elle s'habille et se maquille. Je me dis qu'elle va partir à la discrète mais pas du tout. Elle vient s'asseoir sur le bord du lit toute souriante et elle me dit :

— Je prends trois mille pour la nuit. Mais comme tu as été gentil, donne-moi juste quinze cents.

L'argent s'en va voilà comment. Je les lui donne.

7

Je passe au coin de la rue Robespierre, je vois un déjeté sur le trottoir la main tendue, bon cœur je lui file une pièce, une demi-jaune.

Tout de suite alors il me crie :

— Pourquoi tu me donnes ? Je t'ai rien demandé moi ! Pourquoi tu donnes ?

Je m'arrête je lui réponds :

— Tu avais la main tendue.

— Et alors ? J'en fais ce que je veux, de ma main. Je la tends et puis quoi ? C'est pas une raison pour cracher dedans. Si tu t'endors la bouche ouverte, je vais pas aller y pisser !

— Je peux la reprendre, moi je dis.

— Quoi ? Quoi ?

— Si tu trouves ça humiliant je peux la reprendre ma pièce.

— Tu voudrais que je te la rende ?

Je dis rien, il ajoute :

— Que je t'en donne une autre aussi peut-être, eh pauvre cul ? Et même que je dise merci ?

— Non, je dis.

— Alors qu'est-ce que tu veux bordel ? il crie.

— Je veux juste savoir, comprendre.

— Comprendre quoi ? Y a rien à comprendre paumé ! Où tu as les yeux ? Regarde autour de toi, tu vois quelque chose à comprendre ? Je suis là tu me files une pièce, tu te crois quelqu'un et moi je t'emmerde. Ça te suffit comme compréhension ?

Il me traite encore de raclure de résidu, de cerveau débranché, de tout.

Il a les yeux bien noirs en dessous comme charbonnés, des yeux de cave, des cheveux raides qui lui font des grilles sur le visage. Comme prisonnier derrière ses cheveux. Si maigre qu'on dirait qu'il vient de s'avaler lui-même.

— Pourquoi tu gueules ? je lui demande calme.

— Parce qu'il me reste de la voix, il me répond. C'est même tout ce qu'il me reste, alors j'en profite. J'avais mes couilles jusqu'au mois dernier, mais à force de rester assis là sur la pierre je les ai perdues, adieu mes jolies. On vit dans le total bordel et toi pauvre cul tu voudrais comprendre ? Mais avec quoi on t'a rempli le crâne ? Avec de la paille ? Avec du silex ?

Parfaitement je gueule, même en dormant je gueule d'ailleurs je m'appelle monsieur Beuglant. Puis je vais te dire une bonne chose. Je te la rendrai pas ta pièce et y a une raison à ça. Il faut prendre l'argent où il est, chez les pauvres !

Alors je lui demande :

— Je peux te donner une autre pièce ?

— Pourquoi tu ferais ça ?

— Pour voir ta réaction.

— Donne toujours.

Je la lui donne, il plonge aussi sec sur le sol et embrasse le bout de mes Nike.

— Monsieur, il fait, crachez-moi dessus s'il vous plaît et piétinez-moi je suis un misérable indigne.

J'essaye de le relever, il me prend les jambes et se tord par terre. Il parle maintenant comme une autre personne.

— Je ne mérite pas votre bonté, il dit, je crois même qu'il dit : votre excès de bonté. Je suis monsieur votre esclave à jamais mais d'abord battez-moi, battez-moi là devant ces gens je suis affreux vilain coupable, faites-moi avouer sous la torture vous verrez, écrivez une liste de tous les péchés je vous dis que j'ai tout commis.

Je lui demande de me lâcher un peu, d'arrêter de me tripoter, mais pas avant que je l'aie frappé il assure.

Il se met à lécher le ciment à quatre pattes

entre mes pieds, avec sa langue blanche et poin-
tue, et aussi mes pompes. Et il gueule encore :

— Il faut apprendre à bouffer le ciment !
C'est la solution ! On se met tous à bouffer du
ciment, c'est pas ça qui manque ! Allez allez à
la lèche ! Ça va calmer l'estomac vite fait et ça
nous fera de la merde morte !

Je le frappe un peu sur l'épaule, je lui dis
arrête, ça va.

— Plus fort que ça ! il me dit. Sur la tête
aussi.

Je le claque où il me demande mais il veut
encore plus fort. Que j'hésite pas. Si je savais
tout ce qu'il a fait, je serais malade à m'enfuir.
Jamais un prêtre a pu l'écouter jusqu'au bout.
Même un jeune est devenu fou.

Il se tape la tête contre mes genoux, mais tu
vas me frapper bordel !

Je le tape un peu sans lui faire mal, c'est seulement pour qu'il me lâche, il tombe alors par
terre et bouge plus. Les jambes écartées et tout
raide. Des gens s'arrêtent et croient que je l'ai
matraqué, ils voudraient me faire la fête ou
même m'emmener aux flics. Je dis au mec de
se relever maintenant, que c'est fini sa bonne
blague, mais il reste là sur le dos la bouche et
les narines ouvertes.

— Je l'ai pas touché, moi je dis aux gens qui
sont là, je le connais pas, je lui ai juste donné
dix francs et il m'a sorti tout un numéro.

— Pauvre homme, dit une bonne femme. On a beau en voir plein partout, ça me fait toujours quelque chose.

— Tellement maigre, dit une autre. Si en plus on les bat maintenant.

La première lui donne un petit billet de vingt francs je crois, la deuxième deux ou trois pièces. Elles posent ça dans sa main droite qui ne bouge pas mais qui par hasard est ouverte. Puis d'autres suivent, ils lui couvrent la main d'argent. Et lui toujours les yeux fermés, le coup du coma du mendiant. Il se fait comme ça par pitié deux ou trois cents francs en quelques minutes.

Après les gens s'en vont, vu qu'ils sont pressés.

Monsieur Beuglant m'attrape une cheville et je m'écroule.

— Alors petit mec ? il me fait. Tu as mon bravo. Tu as bien amorcé, c'est l'Amérique.

On est là tous les deux assis par terre, il range son fric et se marre. Il a le visage ridé comme une très vieille chemise. Ça me rend tout à coup inquiet de me sentir le cul posé sur un trottoir, je m'y suis trouvé quelquefois quand je suis parti du Vieux Chêne c'est un point de vue qui ressemble à rien, tu es à mi-pente, tu as l'œil placé au niveau des genoux, quand il pleut les piétons accélèrent et les voitures ralentissent, à l'automne les feuilles te tiennent compagnie tu t'incorpores au paysage, ce que tu entends c'est le bruit des pas, tu rencontres presque aucun regard sauf celui des chiens et des mômes, pourtant tu vois comme le monde passe vite.

Et c'est comme un aimant en plus, faut se méfier. S'asseoir là chaque jour, plus penser à rien, juste attendre la monnaie goutte à goutte, ça devient nécessaire vite. De temps en temps un peu de vie te tombe et tu dis merci. Y en a qui font tinter des pièces dans la main comme pour en attirer d'autres, ceux qui restent la tête pendante le cou cassé et l'œil éteint, une prière leur fait trembler les lèvres, le difficile après c'est de se relever de marcher, tu as mal partout dedans et dehors, le dos courbé, ça se durcit vite des dos de mendiants.

À ce moment-là arrive Dominique et je me rends compte qu'ils se connaissent.

— Tu es là, toi ?

— Eh oui, dit l'autre.

Présentations : monsieur Beuglant. Je dis que je connais déjà. Une sorte de désossé je crois comprendre, qui montrait ses côtes dans un cirque mais qui s'est fait jeter pour grande gueule.

— Et ça marche, là ? lui demande Dominique.

— Des fois oui un peu.

— Tu couches où ?

— Chez un pote à Montreuil qui est mort.

— Le cirque, fini ?

— Terminé, Domi. C'est assez de rouler, je bouge plus, j'en ai trop vu. Arrive qui arrive, je bouge plus. Avant toujours sur les chemins, lancé en toupie. Fini ça.

— Et ça va sinon ?

— Ça va doucement, y a des endroits pires.

— Quand il pleut ?

— Souvent je me mouille.

— Mais tu te plains pas.

— Si tu connais quelqu'un à qui me plaindre, tu me le dis. Promets-moi ça.

— Promis.

— Et toi ça va ?

— C'était mieux avant, répond Dominique.

— Tout le monde peut dire ça, fait l'autre. Même les bébés qui viennent de naître et qui pleurent. Tu parles que c'était mieux avant ! Je connais un vieil homme, à la Croix-de-Chavaux, autrefois il pétait dans la soie, à présent il souffre en silence. Et tout à fait avec la dignité. Son chien, dis donc, il a des dents en or. Mais le monsieur refuse de les lui arracher pour les vendre.

— Si on les piquait à son chien ?

— J'ai essayé, je me suis fait mordre.

— Moi aussi, dit alors Dominique, des fois tu sais j'ai comme une envie d'arrêter.

L'autre saute sur son cul, il s'exaspère, il crie : Ah non ! Ah non !

Il s'accroche au bas de la parka de Dominique, il lui dit comme s'il pleurait :

— N'arrête surtout pas Domino tu es malade ! Ne fais pas comme moi tu repartirais plus, sûr comme l'hiver ! Fais-la jamais la connerie de t'arrêter jamais jamais ! Roule jusqu'au bout ! Roule toujours ! Jure-moi ça aussi putain !

Dominique jure et on va. Monsieur Beuglant reste assis son cul posé tout seul sur le trottoir. Ses cheveux noirs sont tombés crasseux devant ses joues creuses, il a les épaules agitées.

— Il a toujours très mal choisi son vent, me dit Dominique en marchant. Mais là il a quitté le poste de commande.

Puis il voudrait qu'on dîne ensemble mais je dis non, j'ai du travail. C'est la nuit surtout que j'écris, j'ai pris l'habitude plus jeune. D'ailleurs c'était un tort d'acheter la télé, je l'ai su presque tout de suite. Je me cale contre un coussin et je zappe comme un insecte, total j'ai l'impression que j'ai presque rien vu. Quand j'arrête souvent c'est tard, j'ai une barre dans le crâne, rien que de regarder la table à cette heure-là ça fatigue. Je m'assieds, je cherche des mots pour faire des phrases et ça vient tout pauvre.

J'aime pas me coucher et éteindre la lampe. C'est des gestes que je regrette.

Le moment où tu vas te coucher, d'une

manière ou d'une autre tu baisses les bras, tu admets que la journée est terminée qu'il faut passer à la suivante et tu peux pas faire autrement, tu ouvres le lit, tu as vieilli d'un jour.

8

Amira fait claquer tout le temps du chewing-gum dans ses dents, ce qui m'énerve vu que je peux jamais y arriver.

Je la vois un matin à onze heures au Balto, elle boit un petit noir et elle me dit :

— On va faire le marché à Villemomble avec Dominique, ça te dirait ?

— Pourquoi à Villemomble ?

— On n'y est pas connus.

Dominique arrive, je vais avec eux. Fabrice nous conduit en Mercedes grise avec sa casquette, on se sent des chefs.

— Tu as pris tes lunettes ? demande Dominique.

Amira tape sur sa poche, elle les a. Toujours avec son blouson et ses jeans, coiffée comme un dessous de bras. Elle a pris un cabas aussi, un grand.

— Alors Mona tu l'as tirée ? elle me demande en chemin.

— Oui et non, je dis.

— Je vois pas ce que tu veux dire, fait Dominique.

— Moi si, dit Amira.

— Celle-là sans son cul elle est pas grand-chose, dit Fabrice.

— C'est vrai, fait Dominique, mais on la voit rarement sans.

Ce que Fabrice est obligé d'admettre.

Dominique assure que je vais voir quelque chose d'intéressant sur la connerie de l'époque, même en miniature.

On arrive à Villemomble, une banlieue que moi je connais pas, ça ressemble à tout, Fabrice nous pose pas très loin du marché plein air, Amira met des lunettes de soleil (le temps est gris) et sort en disant à Dominique qu'il lui laisse au moins dix minutes. Elle marche alors vers le marché avec son grand sac en simili-paille.

— Tiens, me dit Dominique, tu vas prendre ça sur ton épaule. Attends un peu.

Il ramasse un gros carton vide, tire un couteau de sa parka, fait un trou rond dans le carton.

— Là sur l'épaule, tiens-le comme ça. Dis-toi que c'est lourd.

Je fais comme il dit, je tiens le carton avec mon bras droit. Fabrice annonce qu'il va s'offrir un tour à Rosny-sous-Bois et qu'il reviendra dans une demi-heure. Y a que la Mercedes qui le branche.

— Tarde pas surtout, lui dit Dominique.

— D'accord.

Il s'en va sans quitter sa casquette. Il a dit une fois qu'il prend vraiment son pied à se faire passer pour son propre larbin, ça lui donne intérieurement du volume.

— Maintenant, me dit Dominique, il faut repérer le client. Un qui n'ait pas déjà servi.

Il me fait signe de le suivre dans les étals. Il joue des yeux trois ou quatre minutes puis du menton il montre un couple d'épiciers.

— Ceux-là c'est bon, il me dit, viens.

Il s'approche de l'épicier et lui présente une carte de visite avec un tampon.

— Bonjour monsieur. Je suis Jean-Marc Leblond de la télévision. Le producteur de l'émission *Ni vu ni connu*.

— Monsieur, fait l'autre.

— Vous connaissez notre émission ?

L'autre dit que oui mais sans certitude.

— Vous voyez la jeune fille là-bas ? Avec les lunettes noires et le blouson ? Celle qui a un grand cabas. Avec un blouson Armani.

— Oui, fait l'épicier.

— C'est elle que nous piégeons aujourd'hui. Avec votre aide, si vous le voulez bien.

— Vous la piégez comment ?

— Ne la regardez pas trop fixement, je vous en prie.

Dominique se tient lui-même un peu de biais, comme si Amira pouvait l'apercevoir.

— C'est qui ? demande l'épicier.

— Vous ne la reconnaissez pas ?

— Non.

— C'est Silvia Salvador, la chanteuse. La nouvelle étoile montante. Alors écoutez je vous explique. Vous avez un très bel étal, elle va sûrement venir chez vous. Vous la laissez prendre tout ce qu'elle veut. C'est un piège, vous comprenez ? Pour lui faire croire comme ça que le marché aujourd'hui c'est gratuit. Elle va vouloir payer, vous dites non. Vous dites : aujourd'hui c'est gratuit. C'est tout. Nous, on filme ses réactions. C'est souvent très drôle.

— Vous filmez comment ?

— Avec des caméras, dit Dominique.

— Elles sont où ?

— Elles sont dissimulées, naturellement.

Il montre deux camionnettes rangées par là.

— Il y en a une là, une autre là-bas. Plus la mobile, que tient mon assistant.

Il me montre en disant ça, avec mon carton vide sur l'épaule. Je cale le carton bien contre mon oreille, pour faire comme un cameraman, j'en ai vu deux trois au Vieux Chêne.

— Elle va prendre beaucoup de choses ? l'épicier demande.

— Comment voulez-vous que je le sache ?
Elle vient d'acheter une maison dans le coin,
elle fait son marché, vous verrez bien.

L'épicier n'est pas tout à fait conquis. Il aimerait demander l'avis de sa femme, mais elle s'occupe d'autres clients. Il regarde Amira en
douce, les camionnettes, moi.

— Naturellement la chaîne vous rembourse,
lui dit Dominique. Vous notez le montant et
vous me le donnez. J'ai tout ce qu'il faut. Note
de frais. Avec même une indemnité.

Il tapote sa poche-portefeuille en disant ça.
L'épicier apprécie le geste, ça le rassure.

— Attention, dit Dominique, elle vient par
ici, je me planque.

Il fait un geste avec son doigt qui tourne
comme s'il s'adressait à un cameraman invisible, dans une camionnette. Apparemment, il
donne l'ordre de filmer. À moi il dit :

— Tu restes là et tu prends les gros plans.

— Et si elle le voit ? demande l'épicier en
parlant de moi.

— Aucun problème, elle le connaît pas.
Attention maintenant c'est parti.

Il va se cacher vivement. Le marchand de
vivres regarde un peu autour de lui. Amira s'approche nonchalante de l'étal et commence à
faire son choix.

— Je voudrais deux saucissons secs... Un

jambonneau... Ça suffira pour trente personnes ? Je dois pendre la crémaillère.

— Ça suffira pas, dit l'épicier.

— Alors un autre jambonneau. Et ce gros bout d'andouille là.

Le mec enveloppe et pèse tout ça.

— Vous auriez un fromage pas trop gras ?

— De l'emmental ? Du fribourg ?

Finalement, elle prend les deux, plus quelques chèvres. Elle prend du beurre et de l'huile des yaourts du lait, une saucisse sèche aussi, je sais plus quoi, un poulet froid, et des rillettes parce que c'est bon. L'autre entasse la nourriture dans le cabas. Qu'elle oublie pas le roquefort, c'est le fromage préféré de son père.

Je me tiens là avec mon carton vide, à faire comme si je la voyais pas, mais si je la filmais quand même. En douce évidemment. J'ai bien compris le plan. Pas une fois elle me remarque, j'existe pas. Je me dis alors tout simplement que je suis en train de faire le complice, si ça tourne mal à moi les ennuis. Je reste ou j'abandonne tout ? Mon destin peut-être en quelques secondes. Mais Amira paraît tellement tranquille alors je reste, et puis ça m'amuse j'avoue.

Elle prend un portefeuille dans son blouson, on y voit des cartes de crédit, une simple loque des Puces son blouson rien à voir avec Armani, elle demande alors ce qu'elle doit.

— Ah ! rien du tout, fait l'épicier.

— Comment ?

— Rien du tout.

— Rien du tout ? Pourquoi ?

— Parce que aujourd'hui c'est gratuit.

— Qu'est-ce qui est gratuit ? elle demande.

— Mais tout, il dit. Tout est gratuit.

Elle s'étonne et même elle a pas l'air forcément contente. Un petit vieux s'approche et écoute ce qui se dit, ça l'intéresse.

— Pourquoi c'est gratuit ? demande Amira.

— Mais comme ça, par... par promotion quoi...

Il sait pas très bien quoi répondre. Sa femme s'approche et écoute. Amira montre un autre étal, le petit vieux suit chacun de ses gestes, et elle dit à l'épicier :

— Déjà là-bas on a pas voulu me faire payer.

— Ici c'est pareil.

Le petit vieux fait remarquer que lui on l'a fait payer, il voudrait une explication.

— Vous c'est pas pareil, lui dit l'épicier.

Sa femme le tire alors par une manche, j'entends pas ce qu'elle lui dit. Il lui répond, mais doucement, qu'en ce moment ils sont filmés, ils vont passer à la télé sans doute.

— À la télé ? dit l'épicière.

Elle se redresse arrange ses cheveux, même elle sourit à la jeune fille. Son mari sûrement lui a dit à voix basse que Silvia Salvador c'est elle. Elle rajoute un paquet de pruneaux en cadeau promotion surprise.

Amira sans remercier rempoche son porte-cartes.

— C'est lourd, fait l'épicier. Je le porte à votre voiture ?

— Non, j'ai un chauffeur, pas la peine.

L'épicier regrette, sa femme moins. Amira saisit le cabas et s'en va distante. Le coup de la gratuité, ça lui plaît pas. Elle en serait même agacée Silvia Salvador. Je la suis à cinq six mètres avec mon carton, toujours bien discret.

Le petit vieux va prochainement s'énerver, ça peut se sentir. Et pourquoi s'il vous plaît c'est gratuit pour les jeunes alors ?

Tout s'est passé rapide et résultat Fabrice est pas encore de retour. Dominique nous fait signe de loin qu'on va l'attendre à l'entrée du marché. Jette ton carton, il me dit quand on se rejoint.

Amira range ses lunettes et retourne son blouson rouge sombre de l'autre côté. Vite fait un foulard sur sa tête.

Si les épiciers se rendent compte là maintenant, je me dis, s'ils cherchent les cameramen dans les camionnettes par exemple, ils vont gueuler partout, il y a risque. Je me revois tous les coups miteux du Vieux Chêne Ici sûrement c'est semé de flics, même en civil.

Klaxon heureusement. Fabrice et casquette.

On se cale vite sur les sièges noirs et la Mercedes nous enlève.

Elle nous mène jusqu'au bois de Vincennes et comme il fait beau on mange dans l'herbe, premier pique-nique pour moi. C'est beaucoup de charcuterie, pas léger sans doute dit Dominique, mais le grand air fait passer la graisse il paraît. Et c'est meilleur quand c'est gratuit, on a l'impression d'être invités. Dominique dit même que dans une société normale tout ce qui se bouffe et se boit devrait être gratuit pour tous, chose qu'on voit qu'au paradis des musulmans, où même les femmes sont pour rien.

C'est fou, je dis, ce que les gens sont prêts à avaler, des pythons longs de quinze mètres. Et encore, dit Dominique, ce qu'on fait un jour comme aujourd'hui c'est de la bricole, plutôt pour se dérouiller la cervelle et se garder en bonne condition, mais il y a plus audacieux, des vise-grand, qui ont vendu la tour Eiffel plusieurs fois de suite, et aussi la mer Méditerranée. Même des terrains sur la lune.

On est là tranquilles, Fabrice a laissé ouvertes les portières de la voiture pour que le cuir à l'intérieur respire et il la regarde la bouche ouverte, expressif comme un coton-tige. Amira se fume une blonde légère, Dominique raconte des épisodes sur les cimetières, comme quoi c'est le nouveau racket maintenant, des bandes spécialisées surveillent les enterrements et la nuit suivante ils opèrent. Ils soulèvent les dalles et ouvrent les cercueils tout frais pour piquer tout ce qui se pique, les vêtements alliances dents en or, et ça c'est un boulot terrible vu qu'il faut une pince spéciale, les chaussures, les boutons de manchette et même le bois du cercueil, les vis les croix les cheveux des femmes mortes quand ils sont beaux, à la tondeuse mécanique. Le marbre non, il paraît que c'est nul le marbre, ni les ornements en plastique mauve sauf pour quelques collectionneurs ou bien si les morts sont célèbres. Mais les boutons oui, quelquefois les lacets, les ceintures et les boucles d'oreilles. Quand les bagues sont devenues trop étroites pour les doigts boudinés, ça fait rien, on coupe les doigts à la scie et ça fait du mal à personne. On se rend pas compte de ce qu'on fout en terre avec un mort et qui serait précieux pour ceux qui galèrent en surface. On a même trouvé des portefeuilles avec pas mal de fric dedans, au cas où il en faudrait quelque part.

Il faut payer partout, pourquoi pas là-bas ?

Naturellement les pilleurs s'arrangent pour tout reboucher avant l'aube. Ils tassent la terre, posent des brindilles, on remarque rien. Pas mal de cadavres sont carrément à poil sous la dalle, dépouillés de tout, et jamais personne n'en saura rien.

Je demande s'il y a quelque chose au monde qu'on ne vole pas. Rien qui existe, répond Dominique, dans certains pays on vole la merde des autres pour bien engraisser son jardin. Même les voleurs se volent entre eux, les grands fauves volent les proies des petits chacals et ainsi de suite. C'est comme ça Chimo, on pourrait pas vivre autrement. Pourquoi ? Ah, il sait pas. Qu'on lui demande pas pourquoi. Lui il constate, il connaît pas l'explication, il est pas sûr qu'il y en ait une. De temps en temps les bienfaisants se scandalisent et ils voudraient tout purifier, ils disent ça suffit faut mettre la fin au bordel, changer les couleurs de la terre. Mais comment tu t'y prends mon fils ? Même sans coq, le jour se lève. Tu t'agites tu t'allumes tu crois que tu vas déplacer le monde, total c'est la terre qui tourne et toi qui t'accroches à la roue.

Je lui demande alors pourquoi les gens ils croient tout ce qu'on leur raconte, ou presque.

— C'est comme un besoin, il me répond. Tu peux très difficilement comprendre. Comme un poulet qui aurait besoin de se faire plumer. Et après bien sûr il regrette.

Difficile de ne pas penser à mes trois cent mille francs et aux bourses parallèles que j'ai avalées comme du sirop.

Je suis là pourtant, je proteste pas, tout plumé.

Jamais encore un moment comme ça. Le monde se déglingue chaque jour plus et pourtant qu'on est bien des fois. Les nuages passent devant le soleil et puis nous le rendent. Le vent fait pas de différence entre les herbes et tes cheveux. Ce petit temps d'arrêt. Des fourmis, des oiseaux, des légers mouvements de plaisir sur ta peau. Une grande fille en survêtement bleu traverse par là, elle souffle en cadence et Fabrice qui rêve : que ça doit bien tirer, ces grandes cheminées, il dit tout bas, sa voix est comme de la cendre.

Dominique ferme les yeux et bientôt il dort. Fabrice va s'allonger dans la Mercedes. Il doit la livrer demain, il en profite au maximum.

Amira roule sur l'herbe et la voilà couchée près de moi.

De quel pays elle est venue je le sais pas exactement, c'est un pays nouveau, un pays en stan, Turkestan, Kazakhstan quelque chose comme ça, avant c'était coloré communiste, plus maintenant. En tout cas, elle dit, c'est grand avec des espaces et du vent qui quelquefois renverse les chameaux, ça ressemble pas au bois de Vincennes.

Sans prévenir elle me demande :

— On t'a dit comment je suis née ?

Non. Mais je voudrais savoir.

Elle me parle de près dans l'oreille ses yeux très noirs baissés à cause du soleil. Comme ça

tous les deux sans bouger dans l'herbe, Dominique qui ronfle un peu à trois quatre mètres.

— Je suis née un jour de tempête dans la
montagne, ma mère à cheval, ça descendait dur
avec des secousses et là je suis née. On a posé
un vieux tapis sur les rochers, c'est tout. Mon
père à peine s'il s'est arrêté, toujours à courir
lui. Ma mère a coupé le cordon avec une pierre,
elle s'est lavée à l'eau de pluie et deux heures
après elle repartait, moi dans ses bras sur le cheval, le soir sous la tente elle faisait le feu déjà.
Mon père c'est le roi des voleurs là-bas, il vit
que de ça, toujours prêt à bondir hors de la
tente et à courir, il porte une trousse d'urgence
autour du cou toujours avec des pansements et
un paquet de dattes, et jamais il pose ses bottes
sauf une fois par mois pour se laver les pieds,
quand il est vraiment sûr et certain d'être seul.
Pas question pour lui de travailler, il est beau
comme l'orage il parle six langues, les fron-
tières il sait pas ce que c'est, du temps du
communisme il a eu des difficultés il a même
reçu des balles mais toujours il s'est échappé.
À l'époque aussi il organisait une contrebande
entre l'Iran et la Russie, interdit contre interdit,
de la vodka de Russie en Iran mais des corans
dans l'autre sens, c'est pour ça que Dieu le
protège.

Elle me montre une photo dans un petit
cadre doré, elle la porte autour du cou, un

homme en noir et blanc à moustache et turban, la moitié d'une main devant le visage comme s'il voulait se cacher. Il a été furibard d'avoir une fille évidemment, elle me dit, mais il a d'autres femmes dans la steppe et d'autres enfants, Amira a été habillée et élevée comme un garçon, à six ans elle a eu sa première arme à feu, plus tard elle a dû partir pour l'Europe à pied avec un oncle à elle qui a claqué en route, avant de partir son père lui a fait jurer qu'elle serait toute sa vie une voleuse et qu'elle aiderait les autres voleurs. Et si un jour elle a un enfant, exigence qu'il soit un voleur.

D'où son côté tapis volant, légère à marcher sur la terre.

Je lui demande s'il est toujours vivant son père. Il est le seul homme qui mourra jamais, elle me répond.

9

Un drame maintenant voilà.

Mona arrive un jour agitée comme une salade, elle a décidé de se dérober, ça veut dire quitter le travail quitter Jean-René partir au loin avec un nouveau mec qu'elle aime. Adieu le cul bien exposé et tout le reste, elle a encore été battue, ça va comme ça.

Dominique la prévient que ça sera pas facile facile, elle s'en fout, Jean-René n'est qu'une dure bite sans cœur, après tout ce qu'elle a passé à travers pour lui tu peux pas lui arracher un sentiment, on tirerait plutôt de l'huile d'un mur, alors fini et terminé.

L'objet de son amour arrive un peu plus tard, bonjour bonjour, un professeur à ce qui se dit, un homme assez peu causant de quarante-cinq ans avec des lunettes, le genre mou plutôt, une bordure de barbe noire autour des joues il boit de la bière et regarde. À des moments il tire un bout de papier de sa poche et il note un truc.

Mona a besoin d'argent pour se dérober, combien exactement elle sait pas, Dominique lui file aussitôt dix mille qu'il avait sur lui, des florins hollandais mais c'est de l'argent tout pareil, et moi je me laisse aussi avoir d'une brique car je suis tarte. Je vais chercher le blé à la banque et je me dis en revenant que Dominique a filé ses florins pour que moi j'allonge ma brique, un coup qui lui ressemblerait dans le genre amorce, si ça se trouve elle lui a déjà tout rendu mais ça n'a pas été prouvé. Fabrice aussi met la main à la poche et quelques autres un peu partout par là. Je vous rendrai tout, elle dit Mona, oui oui bien sûr t'inquiète pas, fait Dominique.

Vite vite il leur faut passer en Espagne, ils vont tenir un bar à Benidorm c'est déjà réglé, qu'au moins on ne dise pas à Jean-René où ils se tirent, il serait capable de les traquer jusqu'à la lune avec des armes, lui qui en perdant le cul de Mona perd son gagne-vie.

Mona et son professeur demeurent quatre cinq jours à Bagnolet, pour arrondir son pécule de départ Mona a fait quelques passes locales, organisées par Dominique apparemment, tout ça sans un mot à son mec aimé, qui a une femme et des enfants quelque part, ce qui lui complique la fuite.

Enfin ils s'en vont et plus de nouvelles.

Un matin vers onze heures, ça fait deux

semaines maintenant, Jean-René sort de son immeuble, une moto passe deux mecs dessus, elle ralentit au passage, celui sur le siège arrière lève son bras prolongé de métal et voilà Jean-René deux balles dans la tête, adieu la vie c'est pour toujours. D'après Fabrice, à peine s'il a eu le temps de voir la flamme.

Ça fait du potin quand même, photos dans la presse et même on dit « la mystérieuse disparue », il y a enquête et je suis convoqué au commissariat comme connaissance de la victime. Je dis que je ne sais rien évidemment, que Jean-René je l'ai vu une fois et Mona guère davantage, pas un mot de la nuit chez moi, ah non je sais pas où elle est, elle est partie ça fait des semaines déjà et pas une carte postale.

— Avec les paysages qu'elle a, me fait le flic, à sa place je sais ce que j'enverrais comme carte.

Ce qui prouve au moins qu'ils la connaissent.

Le flic me demande ce que je fais, je lui dis que j'écris des livres et même que j'ai un succès, il m'assure que je devrais pas fréquenter ces personnes-là, c'est pas bon pour les écrivains, c'est que du moisi de la pègre. Il a rien contre moi de toute manière, je peux m'en aller il va rien me faire, on tue pas un poulet pour effrayer les singes.

Je suis presque en train de me lever.

— Tu l'as tirée, Mona ? il me demande, comme déjà Amira l'avait fait.

Je dis que non et c'est la vérité un peu.

— Tu lui as pas filé du pognon des fois ? Elle t'en a pas soutiré ?

Je dis que non et non, ça jamais.

— Tu es sûr ? Elles sont marioles pour ça les filles.

Je suis sûr que non, je lui dis. D'ailleurs du pognon j'en ai plus beaucoup, et faut que j'en garde pour les impôts. Je la lui joue sage.

Le flic me dit :

— Tu as mis tes mains entre tes genoux. Toujours on ment quand on fait ça.

— Je lui ai filé mille cinq cents francs un soir.

— Ah tu vois ! Et sans la tirer ? Uniquement de ton bon cœur ?

— Elle m'avait fait plaisir autrement.

— Et ça valait ça ?

— Je sais pas, je dis.

— À ce tarif-là, il me fait, moi aussi j'en sucerais bien quelques-unes. Pas toi ?

— Non, je dis. Pas moi. Même pour plus cher.

— Et elle t'a jamais dit, la Mona, qu'elle en avait marre de son hareng ? Qu'elle voudrait l'envoyer ailleurs ? Par exemple au royaume des taupes ?

— Elle m'a jamais parlé de ça.

— Elle a bien dû en parler à quelqu'un.

— Pas à moi, jamais.

— Allez file.

Je m'en ressors les mains tremblantes un peu quand même, je me demande si mon argent, pour moi c'est aussi l'argent de Lila, a financé la mort de Jean-René. Je veux en parler à Dominique je le trouve pas, Fabrice non plus.

Je rencontre Amira dans la rue avec son chewing-gum, elle me frappe sur l'épaule et me rassure, c'est qu'une grosse bête en moins sur la terre, un homme qui savait que taper les femmes, on va pas pleurer sur un cancrelat. Que même je devrais me réjouir, elle me dit, ça purge l'air un coup pareil. On en souhaiterait des millions. Par moments Amira elle me fait peur avec ses yeux tellement sombres. Elle dit aussi que certainement Haricot Vert est au courant de tout (Haricot Vert c'est Dominique je rappelle) mais qu'il dira que ce qu'il voudra dire.

Je l'invite à dîner là où elle aimera, elle peut pas elle doit me laisser, elle a un billet pour une soirée de boxe à Levallois, ça fait partie de ses fantasmes.

— Un billet un seul, elle me dit en rigolant et elle me plante.

Le mec qui l'a invitée sera sur le ring, ça je le parie, et c'est la raison qu'elle est seule. Pourvu qu'il se fasse taper le nez, et puis qu'il saigne.

Je mange tout seul le soir chez l'Indien de la rue de Montreuil, c'est un endroit tout en

couleurs j'aime bien ça comme un coin d'ailleurs venu jusqu'ici, y a même un chanteur
habillé de blanc de temps en temps, il s'accom-
pagne sur un genre d'accordéon-piano à plat,
je mange du riz du poulet, je bois du yaourt
avec de l'eau, après je rentre à vélo jusque chez
moi pour travailler, toujours la nuit, devant
l'immeuble je vois des flics, une voiture la
lumière rouge qui tourne, ça y est je me dis
c'est pour moi encore, je sens que je commence
à m'inquiéter pour tout, la peur qui vient.

Ce qui s'est passé c'est dans les étages une
famille de Tunisiens, ils ont voulu circoncire un
garçon mais qui a bien onze douze ans c'est
vieux déjà, ils s'y sont mal pris on raconte, du
sang partout, le môme s'est évanoui ils ont
appelé Police-Secours.

Je les croise en montant par l'escalier, ils descendent le jeune sur un brancard. Toute la
famille en larmes derrière, pâle l'enfant, ses
grands yeux noirs ouverts il regarde tout ça, il
est égaré le petit, mais qu'est-ce qu'on a voulu
me faire il doit se dire, mes parents décident de
me couper la bite et maintenant les flics sont là
et c'est la nuit, qui pourra jamais lui expliquer
ces choses, je le regarde au passage et il me
regarde, c'est un môme un peu gras gentil que
j'ai rencontré deux trois fois, il va me parler
il ose pas, les pompiers l'emportent c'est leur
boulot.

Un autre jour Amira me raconte, ça vient de son père et de bien plus loin, qu'un grand chef très connu là-bas, il s'appelait Gengis Khan, un vrai redoutable, un homme né avant la pitié, il y avait qu'une chose qu'il détestait mais alors à fond, le bruit du soleil. À l'aube avec ses hommes ils se roulaient de douleur dans la steppe, les mains qui bouchaient les oreilles. Ils pouvaient pas supporter ce bruit-là.

Je comprends rien, sinon que c'est une invention peut-être, autrement qu'est-ce qu'ils avaient comme maladie ces hommes ? Elle rigole doucement c'est sa réponse, comme si je devais savoir pourquoi il fait mal à certains le bruit du soleil, et pas à d'autres.

Et puis elle pose un doigt sur sa grande belle bouche et elle me dit : le voleur de nuit déteste la lune. Faudra que je me contente de ça, un autre jour peut-être elle me dira davantage. Amira, on sent que ce qu'elle dit va plus loin qu'elle. Elle est comme un château avec des chambres interdites, des chambres que personne a la clé que le diable. À des moments je me dis qu'elle chavire, qu'elle est pas vraiment dans ses marques, mais je la vois aussi maligne et de bon réflexe selon besoin. Pas le genre jeté comme Fabrice, la bouche ouverte pour aider à penser, ni parlez lentement que je comprenne vite. Un vrai bel objet avec du danger partout sous la peau, bien alertée, comme un serpent noir qui saurait parler dans les rêves, mais tu regardes ses yeux et le bas de son corps est ailleurs. C'est ce qui est terrible avec les serpents, leur corps est pas au même endroit.

Souvent je regarde les yeux noirs des mômes à la télé surtout en Afrique en Asie, c'est des yeux qui voient pas la même terre que les autres, j'ai un peu connu ça moi aussi plus petit, des yeux qui se demandent putain mais pourquoi on m'a débarqué de force dans cette fosse, même pas l'idée que quelque part un plaisir pourrait se cacher pour t'attendre, que tu pourrais sourire un jour, c'est quoi sourire, ils sont là leurs yeux sont des trous, des squelettes graves, comme des os qui te regardent, ils peuvent pas comprendre le pourquoi, c'est de la fumée de sang tout autour, la faim qui t'arrache le ventre, ta mère t'a perdu de toute façon sa poitrine est sèche de lait, les plus grands te repoussent te cognent, ils cherchent des vers dans la terre ils bouffent de l'herbe et des pierres.

C'est pas possible qu'un peu plus loin des mecs se prélassent en Mercedes et finissent pas leur jus d'orange, et qu'ils gueulent contre ceci contre cela, c'est pas possible dit le jeune squelette qu'on soit du même côté de la vie, celui qui a partagé le gâteau c'est carrément un vieux malade. La terre a été faite par un immense aveugle, il a créé les yeux mais il voit rien.

Pire encore qu'ici. Paraît qu'ils se passent en jugement quelquefois les mômes et qu'ils se fusillent, ils se saignent comme des grands. Tout ce qu'ils connaissent de la planète c'est la tuerie, autant s'organiser. La mort bientôt leur éclatera le ventre de toute manière.

Aussi pourquoi ils sont nés cette multitude tu peux pas comprendre, ils sont ravagés leurs parents c'est sûr, pourquoi je suis là affamé titubant fusillé je vous le demande, j'étais tellement mieux quand j'étais pas.

Alors résultat pour tous le couteau un jour vite, le pétard chargé, à moi ta part j'ai faim de tout, ils se traîneront jusqu'ici et nous mangeront les genoux.

10

Je m'assieds un jour au Balto, une pute que je connais de vue vient se poser là près de moi, soupir de fatigue et tout de suite on cause et elle se plaint que c'est plus la joie comme avant, les mecs maintenant ils ont les organes qui tremblent, le sida tout ça et la nostalgie. C'est pas que je sois pas sensible au temps présent elle me dit, je suis même inquiète de nature, mais une fille de joie doit être joyeuse, souriante avenante et tout, si les hommes tu leur présentes une tête en deuil, autant qu'ils restent à la maison à regarder leurs bonnes femmes.

Arrive une ancienne ridée comme le désert, elle se pose juste de l'autre côté de la pute sans un regard sans un mot à personne, sapée comme une vieille ombrelle dans les gris et le beige pâle, le garçon lui apporte un diabolo-menthe et elle reste là bloquée, tu dirais

Geronimo de profil quand il est très vieux, les yeux là-bas sur la prairie jaune et sans fin.

La pute s'appelle Danielle une grande blonde mais pas naturelle on voit ses racines châtain, une bouche large à faire rêver un cheval, deux obus sous un tricot mauve et toujours grossière dans son parler, une pute de BD comme on croit qu'il y en aurait plus. Toujours à demander aux filles si elles se sont fait casser le cul et si elles en redemandent, ou alors si elles se mettent de la cannelle sous la langue avant de sucer pour que le foutre ait meilleur goût.

Mais avec moi rien de salé, elle ronchonne qu'elle en a marre, qu'on sait plus baiser comme avant, que même les mecs hésitent à la prendre à deux, chose qu'elle adore, peur de débander devant le copain, qu'un homme dans les affaires veut se la marier et que bientôt elle va dire oui même si zéro la famille. En plus à l'heure actuelle à Bagnolet et même à Montreuil et à Romainville, il rôde un égorgeur de filles et avec ça faut jamais rigoler. Déjà trois clouées au tableau et la police au ralenti, vu que les filles en banlieue Est sont plutôt clandées et racontent pas tout ce qu'elles savent. Les égorgeurs ou éventreurs il en sort un de temps en temps tu sais pas pourquoi, il carnage deux ou trois mois après il se tire des fois, peut-être il se calme, le plus souvent les hommes l'éliminent.

Je l'écoute avec distraction, je pense à ma

mère, à Dominique à mon pognon à un peu tout ça, alors la vieille sans prévenir, sans même regarder vers nous, se penche vers Danielle et lui dit trois mots à l'oreille, trois vraiment pas quatre.

Danielle prend l'air étonné se tourne vers moi et demande :

— C'est vrai ?

— C'est vrai quoi ? je lui fais.

— Que tu as envie de me baiser ?

J'en reviens pas, j'y pensais même pas de loin je le jure, mais elle a raison la vieille fripée, elle qui voit dans le secret des couilles. Elle m'a gratté là où ça démange, faut que je l'admette tout à coup, ça m'est révélé.

Je réponds à Danielle avec sincérité, je lui dis oui c'est vrai j'en ai envie.

— Eh ben on y va, elle m'envoie. T'as un peu de blé ?

Il lui faut huit cents francs pour un spécial-express, à Paris c'est plus cher encore. En fond de poche, je dois avoir à peu près la somme. On se lève, je paye les verres y compris le diabolo-menthe je discute pas, la vieille en beige et gris se lève aussi et sort avec nous du Balto ce qui me surprend, toujours les yeux là-bas sur la prairie, rien pour moi, pas le clin d'un œil.

Nous voilà tous les trois sur le trottoir, Danielle la première qui secoue son panier, avec ses longs cheveux dorés un peu frisés qui lui sautent sur tout le dos, moi derrière et Geronimo un peu en retrait, on fait quoi trente mètres ou quarante, on entre dans un petit immeuble à studios, la vieille entre avec nous monte avec nous, dans l'escalier elle souffle un peu quand même, je me dis j'ai dû me tromper, j'ai pas payé pour les deux par hasard ?

On arrive au troisième, Danielle ouvre une porte, c'est son studio qu'elle partage avec une copine, on entre tous les trois, les deux femmes tout de suite passent vers la gauche dans le cabinet de toilette. Danielle me fait signe de les suivre et me dit en rangeant ses clés :

— Hélène va te laver chéri. T'as pas à enlever ton pantalon, moi je préfère.

J'hésite un peu finalement je présente le nécessaire, Geronimo me lave soigneusement le gland sur le lavabo puis me l'essuie. Rien de raide encore. Danielle chantonne *Macarena* en se regardant dans deux glaces.

Puis elle me tend un capuchon et elle me dit :

— Hélène va m'aider. Mets ça, attends-moi dans la chambre.

La vieille Hélène s'assied sur un tabouret blanc et commence à déshabiller la grande Danielle qui sûrement pourrait le faire toute seule vu que c'est très simple. Il y a des raisons qui m'échappent. Je jette un œil entre la porte et le mur, je vois les deux obus qui sautent en dehors du corsage mauve comme pour protester, ils font impression, tout blancs avec des bouts comme des cibles fraîches, puis la vieille tire des deux mains sur la jupe noire et la fait glisser, prend un pot de crème dans son sac, je reviens dans la chambre, ça y est je commence à bander j'en profite pour me couvrir.

Un peu après Danielle s'amène à poil avec ses bas et ses souliers, sa chatte est foncée je l'aurais parié, tout ça pour moi contre un peu de papier quelle abondance, rien à dire quant à la fourche elle est mortelle, c'est vraiment le vice qui marche y a qu'à plonger.

— Hélène va rester à côté, elle me dit. T'inquiète pas, viens là que je te suce.

La suite je raconte pas parce qu'on m'accuse de faire du porno après. Ce que je peux juste dire c'est qu'elle me suce debout à toute bringue, je croyais pas que c'était possible aussi vite, elle s'arrête pour souffler un peu et me commander de pas jouir là puis ça repart comme une machine affamée, ça s'arrête, elle me dit viens sur le lit quel côté tu veux, je choisis l'envers et je me la tire.

Sept huit minutes en comptant large. Les putes, dit Dominique, il faut jamais les contrarier elles ont leurs raisons à elles, en plus dans toute vie on prend des habitudes, si tu vas contre fais attention elles te sabotent et même des fois te traitent de tout.

Ça m'étonne comme au bistrot tu crois qu'elles ont la journée de libre et le temps devant, dès qu'elles entrent dans une chambre c'est la frénésie, il faut sortir d'ici d'urgence, tu croirais qu'elles vont rater le train du bonheur, alors fais vite fais vite mon chéri, ma peau c'est surface rapide.

Mais moi je pense à la vieille figue fatiguée sur le tabouret blanc dans le cabinet de toilette. J'ai entendu le bruit d'un briquet elle fume, elle est là assise la porte ouverte, elle entend tous les bruits de l'amour qu'elle a tant connus autrefois, ça change pas grand-chose avec le latex du point de vue bruit, elle a plus de viande pour les oiseaux la casserole, à travers la fumée elle imagine les fesses tendues la jeune bite qui s'avance, elle est là à cause de l'égorgeur évidemment, au cas où ça serait moi par exemple elle gueulerait un bon coup, et bien contente d'être là si ça se trouve et de se faire un rien de thune, en attendant elle se rince un peu l'oreille au son de la chair dans la chair, ça a été le bruit de sa vie un bruit mouillé et dur, un bruit qui ressemble à aucun bruit, avec les soupirs les hoquets des hommes et pour finir parfois un cri, maintenant c'est une autre génération de putes mais ça change quoi, il faut toujours se vider là où c'est prévu, ça fait rien des fois c'était bon quand même, surtout après quand on se le raconte, elle est sur le tabouret, elle a juste le temps de fumer une cigarette, ses yeux c'est une fente sèche, elle regarde et elle attend.

Mon père qui s'est tiré avec une pute et que je vois plus me racontait des histoires comme celle du sultan très cruel qui veut se venger d'un tailleur alors il lui dit : tu me feras une robe de marbre pour le mariage de ma fille, tu as six semaines pour ça. Si c'est pas prêt, je te coupe la tête.

Le tailleur dit d'accord, qu'il se met au travail. Les jours les semaines passent et pas de nouvelles. Juste le jour avant les noces le sultan envoie chercher la robe de marbre, le tailleur fait répondre oui oui ça y est sultan la robe est prête, elle est toute coupée et elle sera magnifique, il me manque juste du fil de sable pour la coudre, fais-m'en porter une longueur et je te livre tout demain.

Moi là dans le monde où je vis on les a mises au dépotoir les robes de marbre et les chaussures de cristal. Personne même en parle, en plus que l'air qu'on nous fait respirer attaque la pierre il paraît. Il tient plus rien le fil de sable, avec son aiguille d'eau de source. Maintenant on s'habille avec de l'étoffe de pauvreté cousue au fil de la patience. Et tout le monde fait la manche.

On porte du coton de fatigue qui a déjà servi,

style esclave, et des chemises en tissu de tristesse qui ont pas oublié la sueur. Les chaussures des pauvres sont en peau de chagrin, paraît qu'à l'usage elle rétrécit. Ils les attachent avec des lacets de désespoir, ceux qui servent aussi à se pendre. Les talons sont d'humilité, faits pour qu'on s'écrase.

Là-dessus y en a qui se sapent au sang frais et à la neige artificielle, nettoyage à sec obligé. Les smokings sont faits des douleurs des autres, c'est d'ailleurs pour ça qu'ils sont noirs. Les pompes sont vernies au vieux cirage du malheur, façon moderne. De l'or aux doigts et des pierres au cou pour les dames, de celles qui t'empêchent pas de nager. Tout ça tiré de la boue par les autres. Il en faut des mômes qui crèvent pour que tu te pavanes en habit de fierté.

C'est comme un vieux tissu fait de mille morceaux qui se déchire un peu partout, personne peut plus le rapiécer, des milliards bientôt vont passer à travers les trous ils tombent déjà dans l'abîme, les autres s'accrochent encore aux fils mais leurs mains saignent, en plus on leur tranche les doigts.

Il a trop servi le tissu, il en peut plus, le créateur en douce sûrement en prépare un autre, il s'est bien rendu compte que la première fois il s'est planté, c'était du travail trop rapide, il en faut un qui soit plus égal plus solide, tressé de bonté et teinté d'amour, alors la vieille trame il faut maintenant qu'elle craque en long comme en large et le plus tôt sera le mieux, puisque le carton rouge aux arrogants ça marche pas et que les affreux ont tous bonne mine, alors basta, on va pas attendre des siècles en pataugeant dans cette horreur d'espèce, viens ici sultan avec ton grand sabre.

Et tout le monde en plus à la télé te raconte que ça va mieux, plutôt que ça va aller mieux, que l'Internet et les autres réseaux c'est vraiment la trouvaille reine qui mettra toutes les personnes en contact et qu'alors on sera virtuellement heureux. Depuis le temps qu'on l'attendait le paradis, eh bien voilà c'est sur abonnement.

Moi dans mon coin le soir je me demande : pourquoi ils veulent à tout prix qu'on se parle et qu'on se voie tous ? C'est le contraire qu'il faudrait, juste le contraire, chacun bâillonné dans son coin, raison que les hommes sont pourris, le dire même c'est insulter la pourriture, alors plus ils se rencontrent et ils se consultent et plus ça va mal, ils échangent que leurs saletés et la dose de chacun augmente.

En fait ceux qui prêchent ça c'est eux les voraces, leur tête est entassée de poudre d'or, leurs poumons sont faits de billets de banque, leur truc c'est de la thune pour de la thune, à force d'en bouffer ça leur a fait tomber les yeux, ils voient plus rien ils ont plus de corps plus de cœur, comme cet avare qui s'était enfermé par accident dans sa cave sur son trésor, on l'a retrouvé en squelette des siècles plus tard, il serrait des pièces entre ses dents, il a fallu des pinces pour les lui arracher.

Nous c'est pareil sauf que c'est pas sûr qu'un jour quelqu'un soit encore là pour venir rouvrir notre tombe.

Trois jours plus tard j'allais je sais plus où je prends un taxi, j'aime bien ça, je me sens riche. Chauffeur dans les trente-cinq quarante, un peu tordu sur le côté il conduit saccadé nerveux. La radio parle de la visite d'un chef allemand à Paris. Les Allemands, il me dit le chauffeur, quand ils viennent à Paris c'est toujours avec de la nostalgie, faut les comprendre, moi je les connais bien les Teutons, j'ai fait souvent du sport de haut niveau là-bas et je peux vous dire.

Il a ouvert la question toute grande et ce serait grossier de pas lui demander quel sport.

— Du tennis de table, il répond.

— Du ping-pong ?

— Non monsieur, du tennis de table.

Je demande pardon je savais pas la différence il me l'explique. Le ping-pong c'est pour les branleurs, le tennis de table pour les authentiques. Maintenant il s'est engouffré, j'ai plus qu'à l'écouter parler et voilà sa vie qui défile coup droit revers. Les Chinois longtemps ont été au top mais bon on a compris leurs trucs, parce que c'est pas une questions de race, on a riposté dans les années soixante-dix avec la prise porte-plume, à cause de leur façon d'écrire ils ont eu du mal à assimiler, ils y sont arrivés quand même, ont réattaqué, c'est comme une longue guerre avec espionnage et armes secrètes. Et maintenant de nouveau les meilleurs, sauf un Suédois qui s'accroche.

Le problème avec les bridés, il me fait, c'est que tu peux jamais savoir à quel point de givrage ils sont. Mais il faut être givré vraiment, barjot c'est le mot qu'il emploie, il faut être barjot pour être dans les quinze, super-barjot pour entrer dans les dix, parce que c'est tellement rapide tu peux pas savoir, c'est plus rapide que l'œil et que l'esprit, tu peux rien voir venir et pourtant tu renvoies. Le coup droit de Gatien quand il est bien placé plus personne au monde le voit venir, y a que les barjots qui renvoient. Ils savent pas comment, ils peuvent pas dire, ils sont détraqués de là-haut. On a connu un champion d'Europe, un Hongrois, qui était vraiment givré à bloc. Il vivait dans un asile et on le sortait que pour les tournois.

— Tu comprends la différence avec le ping-pong ? il me dit.

Presque dans tous les sports de haut niveau il

faut être barje, il ajoute. Regarde le vélo avec leurs substances, tous à clôturer. Surtout quand les actions vont vite, que tu joues réflexe. À ce niveau-là, le sport, c'est vraiment la fin de la pensée. Pas seulement le sport peut-être. Comme ça va vite partout actuellement sans que tu puisses savoir pourquoi, vu que la terre pour tourner elle a pas changé de cadence, pour t'accrocher faut perdre la cervelle. Basta les idées et la stratégie. Tu dois trouver en toi quelqu'un qui va plus vite que toi, quelqu'un de barje. Sans compter que le tennis de table c'est de la fatigue à l'extrême, pire même qu'un marathon, tout est concentré sur cette putain de petite table qu'à la fin tu voudrais la déchirer à coups de hache.

Ça lui est arrivé une fois il me dit, il avait perdu en demi-finale, rentré chez lui il a foutu sa table en miettes en pleine nuit.

Je lui demande quand il a joué la dernière fois.

— Ça fait quatre ans, il me raconte. Je vois un tournoi local en Charente, hop je m'inscris. Au premier tour je tombe sur un môme, je l'aurais battu rien qu'au son des balles. Au second tour le champion local. Je perds le premier set 24-22, je gagne le deuxième 21-18 et le troisième 21-11. Le mec, un jeune, finissait stupéfait tout rouge et tout coulant de sueur, moi impeccable. Il me demande ce qui s'est passé il en revient pas, comment j'ai fait à mon âge et tout ça. Je lui dis que techniquement il va bien, il se défend c'est vrai, mais il lui manque le coup de lune. Ou s'il préfère la perversion.

Le chauffeur roule vraiment vite et il se tient en diagonale, il me parle du coin de la bouche ses yeux font briller le rétroviseur.

Si tu veux monter au dernier étage, là où au-dessus y a que Dieu, il faut réellement te dévisser la tête, il a compris ça. Sinon tu perdras tes parties sans savoir pourquoi et ta vie pareil, à chercher un os dans un œuf. Une vie de rat à qui on aurait parlé de fromage mais qui y aurait jamais goûté. Faut te la jouer folle, sinon tu te taperas la tête contre le vent, tu iras du gris vers le noir, tu seras toujours les pieds dans la boue à te demander pourquoi ça colle.

11

J'avance un soir avec Haricot Vert seuls sur un trottoir rue Gambetta, tout d'un coup on entend crier « Dominique », une voix de femme à un balcon au quatrième étage, ah merde c'est Mireille, il fait.

— Qu'est-ce que tu fous là-haut ? il lui lance.

— Je suis enfermée ! Ce salaud m'a lockée à clé de l'extérieur ! Domi, monte s'il te plaît, j'en peux plus !

— Mais monter pour quoi ? il demande.

— Monte, je te dirai ! J'en peux plus d'être toute seule, je vais claquer, je vais me balancer, tiens là maintenant tout de suite ! Monte, je te dis ! Me laisse pas !

Dominique me glisse entre ses dents sur le côté :

— Elle est en absence. Il lui faut sa dose.

— C'est qui ? je demande.

Il me répond pas et dit à Mireille de se calmer, qu'il va monter.

— C'est quoi le code de la porte ? il lui dit.

— Mais j'en sais rien putain ! elle lui crie. Si tu crois que j'ai pensé à prendre le code ! Je sais pas où je suis, ici ! Et je vais claquer je te dis ! Encore dix minutes et je me jette ! Monte !

— Je te dis que j'ai pas le code !

— Démerde-toi !

Il s'approche de l'entrée pas très content, cette histoire lui tombe dessus comme un gros caca de pigeon pourtant apparemment il peut pas refuser, près de la porte il se lance dans une explication d'arithmétique, il me dit qu'en tapant au hasard sur les boutons à toute vitesse, c'est prouvé, en moins d'une heure forcément tu piques au passage la combinaison et la porte s'ouvre, à moins d'être maudit avec les chiffres, et il commence tac tac tac tac, moins d'une minute plus tard un vieux mec sort de l'immeuble pour emmener pisser son chien, et Dominique me fait : Tu vois. Comme s'il avait ouvert la porte en vérité.

On monte au quatrième, pas d'ascenseur, Dominique me dit que cette fille on l'appelle Mireille-la-débâcle, camée jusqu'au cœur, cette nouvelle génération de putains sauvages qui lèvent des mecs n'importe où font n'importe quoi, il lui faut deux mille balles par jour pour se fixer sinon la tête lui éclate, elle mange presque pas elle boit un peu, quand elle marche sa mort lui tient le bras, son corps est tellement percé de trous, si tu savais, que tu t'attends à voir jaillir le sang de partout, à ce qu'elle arrose les trottoirs de rouge quand elle passe.

— Elle baise partout, dans la rue, dans les bagnoles les parkings, dans les églises, et même dans les sanisettes. Où on lui demande. Elle sait pas dire non, elle peut pas. Et on t'instruit que Dieu a fait le monde comme pour lui. On a pas les mêmes goûts, tu m'excuseras.

On arrive au quatrième, Dominique gratte à la porte, la voix de femme dans l'angoisse demande : c'est toi Domi ?

— C'est moi, fait Dominique. Mais c'est fermé à clé de l'extérieur alors comment j'ouvre ?

— Je te demande pas d'ouvrir. Tu as pour moi ?

— J'ai toujours, lui dit Dominique. Mais combien tu me dois déjà ?

— Oh arrête ! Je l'ai toujours payée ta merde !

— Il me faut un acompte là, dit Dominique.

— File-moi d'abord une charge sous la porte.

— Ça pas question. Tu me connais, quand même.

De l'autre côté on entend un soupir, le déclic d'un sac de femme qui s'ouvre puis un billet de cinq cents balles montre un de ses coins sous la porte.

— Espère pas m'avoir comme ça, lui fait Dominique. Pousse-le dehors, que je le voie entier.

— Que tu es chiant, elle dit.

Mais elle pousse quand même le billet, conséquence Dominique prend dans sa parka miracle une pochette de papier blanc, se baisse pour la lui passer et lui demande :

— Tu as le matériel ?

— Tu penses.

Elle rafle la dose comme un rat affamé et on l'entend s'éloigner de la porte. Dominique examine le billet qui lui paraît bon, même tellement froissé, et le range. À ce moment un pas assez lourd frappe l'escalier, un blond de quarante ans costaud, les yeux bleus un peu déjà chauve, se pointe et nous voit là, ça l'étonne.

— Qu'est-ce que vous branlez devant ma porte ? il envoie.

— Nous ne branlons rien du tout, lui dit Dominique. Une amie nous a crié au secours par la fenêtre, nous sommes là voilà c'est tout.

— C'est votre amie ? il fait. Eh bien chapeau.

— Mais comme vous avez fermé à clé de l'extérieur, lui dit Dominique qui essaye la politesse, nous parlions à travers la porte.

— Fermé de l'extérieur ?

— Mais oui. C'est pour cette raison que nous sommes montés, mon ami et moi.

— Qu'est-ce que c'est que ce cirque ?

Le blond costaud — genre massif, le joueur de rugby si on veut — prend une clé dans sa poche et ouvre en disant :

— Je l'avais à peine vue, de la bagnole. Je lui ai dit de monter un peu. Mais les camées faut toujours se méfier. En plus elles baisent comme des tartes.

On entre tous les trois dans un deux-pièces décoré sportif, poster de Magic Johnson, fanions au mur autour d'une roue de vélo, Mireille revient tout égarée de la salle de bains, le mec nous dit :

— Elle s'est mise à roupiller, pas possible de la bouger, moi j'avais à faire à Pantin je lui ai dit : dors tant que tu voudras, je te laisse une clé là dans le cendrier et je suis parti. Elle gueulait si fort que ça ?

— Si fort que nous sommes montés, dit Dominique.

Mireille nous écoute les yeux à moitié fermés en se penchant d'un pied sur l'autre. Sans doute elle a sommeil encore. La clé dans le cendrier, c'est vrai.

— Je me suis méfié de rien, dit le blond. Ici c'est chez un copain. Y a rien à voler, juste la roue de vélo qui vaut quelque chose vu qu'elle est signée par Anquetil. Mais il faut connaître.

Moi je suis de Marmande. Je vends du matériel de bureau en bois naturel. Je suis crevé.

Il montre Mireille et dit :

— Vous l'emmenez ?

— D'accord, on l'emmène, dit Dominique.

— Je l'ai à peine touchée un peu qu'elle dormait, nous dit le blond quand nous sortons. Mais ça fait rien, je l'ai payée quand même.

Et une partie de son pognon, je me dis en prenant l'escalier, est dans la poche de Haricot Vert maintenant, raison sans doute aussi pourquoi il s'est hissé jusqu'au quatrième étage.

Elle marche avec nous faiblement dans la rue, à des moments elle pose sa tête sur l'épaule de Dominique, lui ça n'a pas l'air de l'amuser, à la fin même il la repousse, dit qu'on va pas pleurer sur les cercueils des autres et puis s'en va.

Me voilà seul dans la nuit avec cette égarée que je connais pas, qui me tient le bras sinon elle tombe, que faire avec elle, ses cheveux s'écroulent sur son visage, elle dit des mots que je comprends pas, elle tousse aussi.

Elle porte une jupe noire, une petite veste noire. Il faudra qu'on m'explique un jour pourquoi toutes les filles sont habillées de noir. Elles sont en deuil d'accord mais de quoi ?

C'est plus tard, vers cinquante-cinq ans, qu'elles commencent à se barbouiller de couleurs, pour bien faire voir comme elles sont moches. Il paraît qu'avant c'était le contraire, en vieillissant elles s'assombrissaient.

Je traîne Mireille dans un café que je connais par là tenu par des Algériens de Bou-Saada, rien que des hommes là-dedans qui fument et jouent aux dominos, sur le mur une fresque bleu ciel, des palmiers, deux trois dunes, un chameau mal foutu et quelques mots qui disent « Bou-Saada la porte du bonheur », tous ont le regard durci quand ils me voient entrer avec mon épave, ils comprennent tout de suite le genre, ils aiment pas ça.

Je commande un grog avec du rhum pour la remonter, vaudrait mieux un verre de lait sans doute. Les deux bras posés sur la table elle me regarde à travers ses cheveux et me dit :

— Qui tu es, toi ?

— Chimo, je réponds. Un ami à Dominique.

— Tu m'as payée ? Tu veux tirer ?

— Non, non.

— Alors faut que je me casse. Qu'est-ce que je fais là ?

Elle veut se lever et s'en aller, elle peut pas. Comme disait mon père, l'arbre est déjà devenu un bateau, on reviendra pas en arrière, son visage est couvert de grêle grise elle a les yeux rouges, ses os qui tiennent plus sa peau, jeune pourtant vingt-deux ou vingt-quatre ans maximum mais tout le ravage du monde.

Avant que le malheur ait fait son choix elle était peut-être pas mal, les yeux obscurs et grands, la taille fine on dirait bien. Ce qui reste de son maquillage a tout brouillé, ses ongles sont chargés de noir, il y a du tremblement sur le bord de ses lèvres comme si des mots montaient de l'intérieur mais n'arrivaient pas à sortir.

Elle reste assise là elle boit à peine, ses paupières tombent retombent, elle appuie sa joue sur sa main sans force, y a presque plus de vie dans cette fille et pourtant ce qui reste s'accroche, à moi, à moi elle me crie avec ses yeux, qu'est-ce que je peux faire pour elle, j'essaye de lui parler c'est comme écrire à un tronc d'arbre. À des moments elle ouvre en plein les yeux, elle dit :

— C'est quoi cette bête ? Cette bête, là !

Pas la peine de lui promettre qu'il y a aucune bête dans le café arabe, rien que celle qu'elle a apportée avec elle, qui la mord et la lâche plus, la méchante bête de la nuit. C'est pas le chameau de Bou-Saada là tout patraque sur le mur qui peut l'affoler, c'est une autre bête, la sienne. Elle a l'air paniquée pour de bon un moment, faut que je lui tienne les mains puis la fatigue la rattrape et la tue un peu, sa tête fait non non, je sais même pas de quoi elle parle ce qu'elle veut. Elle a des bulles de salive qui lui éclatent au coin des lèvres, le grog qu'elle renverse en s'agitant a fait des cercles sur la table brillante.

Ça dure comme ça pas loin d'une heure, les derniers joueurs de dominos se tirent sans bruit ça va fermer, nous aussi faut partir, on peut pas rester là pour rien devant un grog froid, Mireille a ce réflexe encore de comprendre, l'habitude qu'on la jette peut-être, elle se lève subitement viens on s'en va elle me dit, je règle en vitesse, derrière nous le rideau de fer se baisse sur la porte du bonheur et sur le soleil.

Là debout sur le trottoir elle me demande si je veux baiser je dis non, même à la gratuite dans un coin de porte je dis non non, peut-être me faire sucer quand même elle propose y a moins de risques, je dis non encore.

Elle me dit que je suis drôle, des comme moi elle en voit pas souvent.

Alors elle regarde le ciel et me dit que c'est l'heure étrange où les mecs veulent absolument tirer sans capote. Ça s'appelle, elle me l'apprend, à la santé du fossoyeur. Elle a jamais compris pourquoi mais ça fait rien, sans protection, en payant davantage même. Mireille elle est séropo de toute manière, elle s'en fout, un pas de plus dans la descente, un pas de moins.

On va siffler bientôt la fin de la partie, y aura pas de prolongation, un petit vertige de plus c'est tout son futur.

Sans capote les autres filles refusent toujours, elles refusent jusqu'à cette heure justement, tout de suite après le milieu de la nuit, l'heure du barbu elles disent, si elles ont pas encore dérouillé alors tant pis, le premier dangereux qui se propose dans les rues désertes elles se le prennent, qu'il boive un bon coup le fossoyeur il leur faut bouffer, tant pis pour la vie.

Ces mecs-là, m'a dit Dominique une fois, c'est pas forcément des malades c'est des joueurs. Ils ont tâté à tous les risques sauf à celui-là. Ils plongeraient leur bite même dans la mort sans trembler. Une force qu'on peut pas croire, sur le sommet de la passion. Le sida, ils adoraient ça, même à en crever. Depuis les nouveaux médicaments ils sont pas contents paraît-il, c'est comme un filet pour le trapéziste, ils préféraient sans. Comme s'ils perdaient le roi des frissons, l'incomparable.

Si je dis à Dominique que ces choses-là me dépassent, tu comprendras plus tard il me fait, ou peut-être pas.

Mireille s'appuie un peu contre le mur, elle ferme les yeux dix secondes puis il me semble qu'elle me dit merci j'en suis pas sûr, elle a vécu tout ça dans sa brume à elle, elle

oubliera mon nom et la couleur de mes cheveux, elle a la cervelle en flaque d'eau sale,
« faut que j'y aille » elle dit en se poussant du
mur, elle refuse que je l'aide, non ne viens
pas là où je vais elle me dit, non ne viens pas,
je la vois traverser la rue titubante et puis le
bruit de ses talons s'en va.

Je rentre à l'aube et à la télé, sur Canal, je
vois le feu caché au centre de la terre. Même
que j'ai sommeil, je regarde. Ce qui me fait
rêver toujours c'est les volcans, la grosse braise
épaisse qui bouffe tout et les étincelles qui
giclent. Marrant quand même de vivre sur la
croûte d'un feu, sur un gouffre brûlant dessous. Un jour je me dis tout va s'écrouler, la
terre va trembler pour de bon devant tant de
honte. La croûte va se casser d'un coup
comme quand tu marches sur une noix, adieu
le ciel, pognon ou pas pognon tout sera
englouti, des milliards d'hommes jetés dans la
fournaise où même le diable peut pas tenir,
terminus tout le monde descend, tout le
monde glisse, et tous à cramer dans le grand
trou rouge qu'on avait fini par oublier.

J'ai rêvé de Lila la nuit dernière encore,
une fois par semaine au moins, presque toujours la même chose, elle revient elle est pas
morte, oui je sais bien elle me dit tout le
monde croit que je suis morte mais tu vois

134

bien que c'est pas vrai puisque je suis là, elle
sourit elle fait bonjour à des gens que je
connais pas, personne a l'air de s'étonner et
aussi elle a des projets, c'est dans une cité
mais pas au Vieux Chêne, à des moments on
voit la mer pas loin, et puis elle me dit qu'on
pourrait se marier si je suis décidé maintenant
vu qu'on a gagné des millions d'argent avec
le livre, en plus elle a un travail là où elle est
et moi je trouve tout très bien, tout idéal, je
suis très content dans mon sommeil je lui
prends la main je l'embrasse, je vois même
des fois le dessous de sa jupe elle fait rien
pour se cacher, mais à la place de sa chatte
c'est comme effacé avec une gomme, pourtant
elle me fait comprendre que le frisson c'est
pour bientôt, que c'est normal, tout le monde
vit que pour ça, la nuit dernière elle me montrait en se marrant son crâne rasé d'où sortait
du sang et me disait « tu vois c'est rien c'est
mûr, c'est bien mûr maintenant » et je pleu-
rais sans m'arrêter, je me suis réveillé avec
des larmes sur les joues, d'autres fois d'un
seul coup c'est plus la même fille, c'est un
visage qui ressemble à personne, c'est Amira
aussi par moments ou bien Dominique, c'est
un homme inconnu qui dit « pauvre Lila » et
qui tient un bouquet de roses, une tombe
qu'on ouvre la nuit pour la piller, un môme
à bicyclette qui se cogne la tête contre un

arbre en béton, je me demande si on rêve que d'endroits et de gens qu'on connaît ou si au contraire on invente, je sais pas qui pourrait répondre à ça, personne je crois.

12

Si je suis là quand même à traîner c'est à cause de mes placements parallèles, un jour j'en parle à Dominique avec sévérité j'essaye, on est dans un autre endroit qui s'appelle le Tropical, paradis peint tout en cocotiers de plastique et musique dégoulinante, quand ils vont revenir mes trois cent mille francs je demande, ce qu'il compte faire, tout ça.

— Je pense qu'à ça, il me répond, je me sens coupable avec toi Chimo, j'en rêve la nuit je te jure. Mais aussi c'est que de l'argent, faut se dire ça.

— L'argent, je fais, c'est important quand même.

— Je dis pas non. Mais tu aurais pu te perdre un œil ou une jambe, alors compare.

Je lui dis que je vois pas comment j'aurais pu perdre une jambe au parallèle. J'en suis pas à jouer mes membres.

— Y en a qui le font, il me dit. À cause du

trafic d'organes. Ça vaut son prix, un œil. Et quand tu possèdes rien d'autre tu te laisses vite convaincre.

Je vois pas où il veut en venir, je le soupçonne de détourner les choses. Alors il tend son doigt vers moi. À son doigt, j'ai déjà remarqué, il porte une chevalière, mais pas avec ses initiales.

— Tu dois comprendre ça écoute : tu fais ton éducation ici. Ça te servira pour la vie. C'est comme une université, tu vois, à part que tu apprends des éléments qui normalement te sont interdits. Une grande école en plein air, le dessus le dessous des tables, tout ce que les profs ont jamais su. Et le tableau plus noir que jamais tu saisis ? Avec des courants d'air pour bien apprendre à respirer. Laisse-moi dire une réalité : c'est con de se croire malin, voilà. Ça c'est sûr. Réfléchis un bon coup là-dessus. Tous ceux que je connais qui ont foiré leur vie, ils ont cru savoir quelque chose. Qu'ils tenaient le bon bout et qu'ils avaient plus qu'à tirer la corde. Regarde Jean-René cette andouille. Il avait la motte et le couteau. Total c'est le super-ratage, il est quelque part sous la terre et même les vers savent pas qui c'est.

J'ai du mal à le suivre des fois. En plus il a l'air fâché tout à coup. Il boit un peu de bière heureusement, ça lui laisse un flocon de mousse au bout de son nez, trois secondes il a l'air d'un clown puis ça passe.

— Si tu veux foirer ta vie, il me dit, change pas de main. La fosse commune c'est tout droit. Tu baisses la tête et tu fonces.

— Je te comprends pas, je lui dis.

— Et quelquefois c'est le contraire, il continue sans m'écouter. J'ai connu un mec, c'était un poète et je l'aimais bien. Tu lui donnais n'importe quoi une feuille d'arbre un caillou, tiens cette rondelle sous mon demi, et il t'en sortait un poème. Tu peux pas savoir la tête que c'était. Pauvre à manger de l'air, tu imagines bien. Il récitait ses trucs à la terrasse des bistrots et faisait la manche à la traînée. Rien, des misères. Ses jambes à peine le portaient. Il est mort, alors vive lui. Moi je l'ai connu, moi aussi, quel génie c'était ! Tout un cortège de branleurs de cadavres. Lui vivant il pleurait pour avoir une datte et sur sa tombe il a tout un palmier.

— Écoute Dominique, je lui dis, j'ai quand même le droit de te demander des nouvelles de mon pognon.

— Peut-être tu sais pas regarder, il me donne comme réponse. Tu as les orifices bouchés, comme la plupart. Alors c'est pas la peine que tu te prennes pour un écrivain. Tu es un petit gratte-couilles à la manque et puis c'est tout. J'ai lu ton bouquin, excuse-moi, c'est de la cochonnerie en bretelles, quatre mots d'argot et la larme aux yeux. Les gens ont été assez cons pour se faire avoir une fois d'accord, mais fais gaffe maintenant, ils t'attendent avec de la mitraille et des gaz, et si tu crèves pas ta petite surface tu vas te retrouver chez les pilonnés.

— C'est quoi les pilonnés ? je dis.

— Ceux qu'on croyait qu'ils auraient du succès, on tire un max, des piles et des piles partout, résultat ça s'endort sur les étagères alors un jour faut pilonner. Le broyeur, c'est pas l'idéal pour un écrivain de nos jours.

D'une façon il a bien raison je le sens, c'est vrai que maintenant parler de keufs et de marave ça fait retardé, il paraît au moins trois livres par mois pour dire comment elle s'exprime la jeunesse dans les cités, des bouquins écrits par des professeurs des fils de bourgeois ça se voit de suite, et moi je suis là au milieu de tout les oreilles ouvertes et je m'aperçois de presque rien. Un mot de temps en temps peut-être sinon les gens parlent comme les gens. Alors quand j'écris le soir je fais attention à pas tomber dans ce bidonnage.

Je suis là donc au Tropical, je venais rouspéter et je commence à me faire sonner je le sens, c'est toujours pareil, je voudrais abattre des forêts en soufflant dessus, être un grand quelqu'un, mais l'autre arrive et je me rapetisse. Un homme qui m'a volé sans hésiter pourtant, il parle fort mes épaules se coincent, bientôt je vais dire que c'est ma faute.

— Me regarde pas avec ton œil jaune, il reprend. Je te l'ai dit, je me fais des reproches pour toi. Et alors quoi ? Tu as les dents plus longues que la barbe, ne pense pas que ça va m'étonner. Moi aussi j'ai eu mes ambitions, qu'est-ce que tu crois ? Et puis la vie décide pour toi, en rose ou en gris. Tu me regardes avec de la méchanceté au fond des yeux, et même du ressentiment, ne crois pas que je le vois pas mais attention : j'ai ma manière moi aussi. Je vis pas au hasard des vents, je me fais des règles et je m'obéis, ici je te prie de me croire. Même si ça t'étonne, il y a une raison à tout. Si j'ai le regard trouble, c'est que mon père était marchand de sable. Parfaitement monsieur Chimo. Si j'ai du sang aux ongles, c'est que j'ai tué des poux.

De temps en temps il s'emballe, alors rien l'arrête. Je l'écoute et mentalement je prends des notes comme je faisais avec Lila. Si ça vaudra un jour trois cent mille francs, ça j'ignore.

Il repart comme ça :

— Et comment une hache pourrait tailler son propre manche tu peux me le dire toi le dégourdi ? Il faut demander à un ami de t'aider, c'est le seul moyen, mais qui sont les amis des haches ? Je te parle la main sur la conscience pour une fois puisque tu m'as cherché. Chimo, même l'or a une ombre noire. Tu comprends ce que je veux dire ? Tu es jeune, tu as pas encore eu le temps d'avoir peur. En plus il t'est tombé sur la tête un miracle. Tu en es resté groggy mais tu verras, ça vient tout doucement la peur comme une fissure sur un mur blanc, la colle des enfants te tombe des yeux goutte à goutte, tu vois les choses véritables et alors pardon. Des jours j'ai des frissons de panique dans le ventre, tel que tu me vois. C'est bien joli de dire que tu vis dans l'écume, un charmant petit parasite comme une orchidée sur le tronc d'un arbre, mais par moments tu marches sur un parquet de verre et le gouffre en dessous c'est affreux. Tu veux écrire des vrais livres ? Alors petit faut pas souvent lever la tête vers le ciel, faut au contraire plonger tes yeux vers le contrebas. Toutes les saloperies tu les as en toi, alors s'il te plaît faut pas craindre de les regarder et de les toucher. Sinon tu pisseras du sirop tiède comme les copains. Autant la fermer dans ce cas.

Il boit encore un coup de bière avant de dire :

— Moi je te montre tout. Le dedans et le dehors. Le tien comme le mien. Ce que personne a osé te montrer. Je te retourne même ta peau. Tiens je vais te dire : tu regardes passer les foules dans la rue, chacun a son grain. Son sac à dos, sa poche kangourou. Son petit coin de merde ou de sang pour lui seul. C'est dur à croire mais c'est la vérité. Pas un qui tienne bien debout sur ses quilles. Pas une qui ne rêve pas d'affrosités et de mensonges. Crois-le ou non moi je m'en tape. Je te le dis, voilà c'est tout. Lila en savait quelque chose c'est vrai, mais elle se touchait trop souvent le nuage. Et de toute façon t'as rien compris à elle.

Il y a quatre jours, à propos, Dominique est arrivé en traînant la patte, il revenait de l'hôpital. Blessé à la cuisse, il était. Un coup de couteau en profondeur. Le drôle c'est qu'aucun de ses pantalons (il en a deux) est déchiré.

— Nous sommes nés suspects, il me dit, et tout de suite en se touchant le front : c'est écrit là. Ça se voit comme moi je vois les voleurs, c'est lumineux. Nous sommes les à part, les vrais normaux, ceux qui observent le monde dans le bon sens. Ni Dieu ni Cendrillon, ni connerie semblable. Juste ça là autour, ce que tu vois. Rien d'autre. Mais certains jours, Chimo, qu'est-ce qu'il est dur le bon chemin ! Tu comprendras si tu continues. Les autres, qui s'avancent à côté dans les épines ou les sables mouvants, ils te regardent avec de la braise dans les yeux. Au premier geste de travers c'est sans pitié. Nés suspects. N'oublie jamais ça.

C'est un homme qui change comme le ciel, un homme à averses, et tu peux jamais le tenir comme du fer entre tes doigts, il commence une phrase en bleu la termine en noir ou c'est le contraire, il est comme une image qui tremble dans un rêve, tu es jamais bien sûr quels yeux te regardent, sa voix vient de la gorge et du haut du nez, tu sais jamais d'où tu ne saisis rien, déjà quand il était petit sa mère l'appelait la couleuvre, c'est lui qui le dit, un serpent rouge de la tête et gris de la queue, que même les herbes le reconnaissent pas quand il se glisse, elles le prennent pour un autre serpent qui leur fout la trouille, elles s'en relèveront pas, un serpent tellement mauvais qu'il empoisonnerait les arbres rien qu'en passant sur leurs racines.

Cet homme c'est de l'eau mélangée d'huile avec plein de bulles, une chose sans précision d'où tout peut sortir, c'est une absence d'étiquette une vapeur.

Là tout à coup il me demande :

— Alors Amira tu l'épouses ou quoi ?

Quoi, qu'est-ce que ça veut dire, épouser qui, comment ?

— Fabrice t'a rien dit ?

— Non.

— Il a oublié le crétin. Amira sa carte s'achève. Si elle veut rester ici, il faut qu'elle épouse un Français. Tu suis mon regard ?

C'est vrai que je suis né ici, je suis français.

— Quel genre de mariage ? je demande.

— Un mariage à la mairie comme les autres. Pour les papiers. Que ça fasse vrai. Après tu payes le gueuleton et c'est fini.

144

— Mais un mariage alors, je veux dire, un mariage comme ça, rien que pour la forme ? Et après ?

— Après vous vous démerderez. Tu es d'accord ou quoi ?

13

Les samedis du mois de mai, à la mairie de Bagnolet, c'est en série qu'ils se font les mariages. Un quart d'heure pour chaque couple et au suivant. Le même discours de l'adjoint au maire pour tout le monde, et penser que c'est pour la vie.

Quand notre tour est arrivé quand même, l'adjoint, un trapu dans les quarante ans un peu chauve qui doit donner dans la gonflette, et la secrétaire martiniquaise aux noix placées hautes, ils nous ont regardé drôlement, comme si on tombait là d'une autre planète ou d'un souterrain. Faut dire qu'il y avait Danielle en total flamboiement, rousse et frisée, le soleil qui s'est fait putain, à côté d'elle Geronimo la vieille Hélène toujours le regard plissé à guetter les bisons sauvages, venues toutes les deux avec un vieil homme inconnu tremblant décharné, un visage sans viande qui arrêtait pas de mettre et puis d'enlever son chapeau tout gris.

Aussi Mireille-la-débâcle assise la tête basse un peu plus loin, elle a dit bonjour à personne, elle est restée là à se balancer la tête sur un banc, elle avait mis voilette et chapeau, à la sortie elle a racolé le garçon d'honneur d'une autre noce, le mec allait la suivre quelqu'un l'a retenu.

Aussi Mona rentrée depuis peu d'Espagne était là très en couleurs pour une veuve, toujours avec son nouvel homme. Il paraît d'après Dominique qu'il a été viré du professorat pour absence exagérée, il enseignait dans une école religieuse, un papa-la-vertu qui a tout fait pour éloigner Mona du chemin du mal, il a crié supplié pleuré promis, maintenant il se trouve à peu près sans un et Mona la voilà forcée de tapiner pour lui rue Saint-Denis, et aussi pour la famille du vertueux, sa femme et ses deux enfants qu'il faut bien nourrir. Le plus beau cul de cette fin de siècle est à vendre, à vendre pour alimenter cinq bouches, il s'offre maintenant au sommet d'une paire de cuissardes rouges superluisantes montées sur talons vertige, enfilées par Mona pour la séance à la mairie, directement après le déjeuner elle doit courir au turbin, ça lui évite de se changer, avec ça elle porte un chapeau plat en cuir rouge brillant à large bord avec ruban noir, genre andalou d'après Fabrice, elle l'a rapporté d'Espagne, un grand boléro en faux agneau à bouclettes noires, une jupette à rien cacher en lamé argent, une ceinture épaisse avec poche à fric, sacoche à capotes, trousse d'urgence, sifflet d'alarme, téléphone portable, tout un attirail que l'adjoint au maire a vu d'un coup d'œil et qui ne fait pas femme très honnête.

Franchement s'il y avait un culte du sexe, et si la mairie de Bagnolet lui servait d'église, Mona et Danielle seraient les statues des deux grands apôtres.

À côté de ça Fabrice avec ses lunettes, toujours l'air tombé du train en marche, il nous a conduits en Mercedes et il se fera le tampon de la mairie avant de partir. Dominique aussi en haricot vert qui mûrit jamais, un nommé Juanito assistant paraît-il de Fabrice et qui bâille sans se gêner, la patronne du Balto, une femme robuste de la Corrèze qui s'habille plus vieux que son âge et qui a une photo de Chirac dans sa salle de bains, elle raconte que de cette manière elle a des moments d'intimité avec son idole. J'ai vu aussi deux filles aux yeux douteux que je connais pas, des copines à Danielle il me semble, l'une des deux avec un chien sans genre, un animal à ramoner les cheminées, même un fourgueur qui passe une fois par mois et qui demande « alors quoi d'ancien ? », sa vieille blague à lui, ça le fait marrer depuis des années.

Je voulais inviter l'avocat, j'ai préféré pas.

J'avais aussi pensé inviter la tante à Lila, qui doit être si lamentable depuis qu'elle a perdu son ange, mais les autres enflés de la bande l'auraient appris et je veux jamais les revoir, c'est tous des erreurs de naissance.

Ma mère évidemment, je pouvais pas faire autrement, mais elle s'est trompée de bus pour arriver presque à la fin. Toujours toquée égarée sur la terre, elle vit dans l'ennui à La Garenne et même elle cherche un travail gratis. Elle se fait pas d'amis là-bas et dit que les chiens sont plus méchants qu'ailleurs (elle a jamais aimé les chiens, qui le lui rendent).

Assise sur le dernier banc pas très loin de Geronimo, elle avait pas compris ce qui m'arrivait mais elle pleurait comme un vieux fromage. J'ai apporté des fleurs, elle me dit, mais le chauffeur de l'autobus me les a volées. Je sais pas où elle va chercher ça — aussi qu'elle voulait maintenant parler à ma femme, lui dire des choses sur moi. Qu'est-ce quelle lui dirait ? Sur moi elle sait rien. Ma mère m'a déposé un jour sur la planète et débrouille-toi mon gamin.

Elle sait même pas ce que c'est, un livre. Elle croit que j'ai gagné au Loto sportif grâce à ses prières au Prophète. Comme si le Prophète était le grand chef du Loto, point final.

En sortant d'ailleurs elle s'est plantée, elle est allée vers une autre mariée qui entrait dans la salle pour lui parler de moi. La fille, une ahurie, croyait à un scandale de dernière minute, mais qu'est-ce que c'est madame qu'est-ce que vous me voulez, ma mère s'accrochait à ses gants, même elle lui a abîmé son bouquet, vous ne le connaissez pas ce petit elle lui disait, vous ne le connaissez pas moi je suis sa mère, finalement avec Dominique on l'a emmenée dehors presque de force.

Je me suis acheté un costume bleu et même j'ai mis une cravate, c'est la première de ma vie. J'ai demandé à Danielle de me la nouer, moi je sais pas, elle s'est mise derrière moi en rigolant à me planter ses obus dans le dos et m'a fait un nœud en biais, mais juste avant d'entrer à la mairie Geronimo a dit qu'il fallait un nœud droit, que les nœuds en biais ça porte malheur, le mieux même c'est le nœud papillon, alors la vieille a défait mon nœud en biais et l'a refait droit, là sur l'escalier, elle a dû sortir ses lunettes, on a failli rater notre tour à cause de ça.

J'avais invité ma sœur aussi, elle est pas venue. Je lui donne pas assez d'argent elle trouve, et elle pense qu'à frimer.

Amira s'était mise en blanc mais en robe courte. Fallait que tout paraisse comme un vrai mariage, d'ailleurs c'était un vrai, même si l'adjoint au maire et la secrétaire nous regardaient des fois comme une cargaison suspecte.

J'avais acheté des alliances, Amira me tenait

doucement par le bras, à des moments elle me souriait. Quand il a fallu elle a dit oui bien simplement et moi aussi. Après on a signé tous les deux et je me voyais marié pour de bon. Et ce soir alors ? je me demandais. Comment ça va se passer elle et moi ? On en avait jamais parlé encore.

Amira, j'ose pas lui demander les choses. Les filles qui me plaisent beaucoup, elles m'impressionnent, je suis bloqué j'ai de la rouille dans la bouche. Lila c'était pareil. Je les laisse parler pour moi, c'est-à-dire qu'elles décident et moi je suis tenu en remorque-dépanne.

Les filles il me semble toujours, et Amira davantage que toutes, qu'elles ont plus de secrets que nous, plus de recoins dans la chair dans le cœur, elles en savent plus que moi sur la situation des sentiments mais c'est des vérités qui se disent pas même à demi-mot, être plus clair ça casserait l'amour, les filles le savent depuis le début, c'est du flou c'est de l'ombre à elles, les hommes ont pas la clé pour ces étages-là.

Le repas au Balto, dans la salle du premier, un prix fixe d'un traiteur de Vincennes avec langouste et puis canard, pas vraiment le gala je trouve, c'est moi qui ai tout payé même pour des inconnus qui m'ont jamais dit bonjour ni bravo, ils riaient pourtant sans arrêt au bout de la table avec les filles. Geronimo mangeait comme à la veille d'une guerre. Danielle se maquillait après chaque plat, on parlait de cul et beaucoup de mains traînaient sous la nappe. Champagne cognac et tout ça, même des cigares italiens.

Mona est partie la première, vers quatre heures, avec son homme qui regardait sa montre. Pas un mot pour les dix mille balles que je lui ai avancées pour se dérober en Espagne, si ça se trouve un jour j'irai me payer sur la bête, Dominique dit que j'ai un crédit. Puis Danielle et les autres filles s'en vont avec des mecs. Puis Geronimo qui bourrait ses poches avec plein de petits gâteaux.

— Je m'en vais aussi, dit ma femme.

Elle se lève, m'embrasse sur la joue, me dit merci Chimo et la voilà partie comme avec le vent. Rien de plus, pas un mot de douceur d'amitié, savoir seulement si je la verrai une de ces nuits.

Je traîne un moment au Balto où je paye des verres aux abandonnés de l'après-midi et puis lentement je rentre chez moi.

J'ai tort de me monter la tête à propos de tout, je me fabrique des jardins où la vie glisse comme de l'eau bleue sur du marbre, à la fin de la journée il me reste quoi ? Ni lune, ni miel. J'ai mon cœur qui bat mais c'est pour rien, il est comme en dehors de mon corps, j'ai dû l'oublier quelque part.

Je me rappelle un bon conseil de Dominique : en cas d'urgence branle-toi de la main gauche, tu auras l'impression que c'est un autre.

Mais même pas ça. Rien ne me dresse. En plus il y a la langouste qui me barbouille. Je bois un grand verre d'eau du robinet et je me couche, moi l'homme marié, seul comme hier.

Je regarde la télé un jour, je vois une femme à Java je crois, elle raconte qu'elle a accouché d'un dragon en même temps que d'un enfant, un vrai dragon, un gros lézard tout gras plus d'un mètre de long, on le voit là tirant sa langue bien fourchue il fait partie de la famille, un enfant comme un autre avec sa carte d'identité, son nom, couchant dans la maison sous une couverture, gratté partout bourré de sucre, et tous les parents de dire que c'est un dieu descendu parmi eux pour aider la sainte famille, d'ailleurs les voisins apportent des tas d'offrandes au lézard obèse et implorent sa protection, une chose incroyable aujourd'hui quand même, quand je vois ça je me dis qu'elle est bien malade et frappée l'espèce, abrutie jusqu'au fond des os, où on va si on se met à adorer un lézard idiot, tellement gonflé de sucreries qu'il peut même pas bouger son cul, dragon petit frère sans flamme.

Un homme racontait aussi à la télé qu'il

connaît en France une femme amoureuse de sa tortue, une tortue très ancienne qui lui vient au moins de sa grand-mère, vieille de cent ans minimum, elle a les pattes arrière paralysées, alors la femme lui a fait percer la carapace et fixer des roulettes en bois, qui aident la bête.

Je pourrais faire un livre rien qu'avec les trucs que je vois à la télé, c'est le spectacle de la vie dérapée, peut-être quelquefois les journalistes ajoutent du poivre, mais quand même le frangin dragon qu'on adore en famille ça me paraît difficile à toper, le monde à l'envers en un sens, on l'emmenait même au cimetière pour lui montrer où sont enterrés ses ancêtres humains, couchés sous les fleurs de là-bas.

14

Ça se tient tard une fois ou deux par semaine dans un double hangar, où exactement je sais pas, y a un canal pas loin, c'est bien après Livry-Gargan avec un bois juste derrière. J'ai entendu parler des raves par tout le monde mais jamais vu, faut que ce soit Amira qui m'emmène. Mais elle c'est pas le crack ou la musique et surtout pas la baise qui la branche il me semble, c'est le grand désordre et la cohue sombre, les flippés sont inattentifs elle me dit, ce qui l'attire là c'est qu'elle peut faucher facile. Vers deux ou trois heures du mat les mecs commencent à se flétrir de la cervelle, elle m'assure, vu que les neurones en prennent un vrai coup, alors une main dans la poche ils la sentent plus, et si des fois tu te fais piquer tu joues l'exaltée la défonce.

Fabrice nous dépose mais il reste pas, ça le déjante cette atmosphère il dit, il préfère aller se gratter ailleurs, on rentrera comme on pourra même à pied peut-être.

Amira me dit que je vais voir ça, c'est comme me dépuceler, elle a l'air contente de me montrer.

Je paye les deux entrées, deux cents francs par personne quand même, de l'investissement je me dis. À l'intérieur évidemment c'est glauque, des fusées rouges et vertes qui se terminent en étincelles et un son à casser la peau. Ils jockeyent en même temps plusieurs disques, en les chuintant du doigt, et en plus dans les coins des mecs jouent des vrais instruments. Tous se mélangent comme un orchestre fou, tu passes à côté d'un saxo tu as l'impression qu'il joue de la trompette, partout du cuir noir sur de la peau blanche des odeurs de tout, du shit du crack des pluies d'ecstasy en pilules et plein de saloperies personnelles, tout ce que les junkies s'inventent comme mélanges et qu'ils viennent ici éprouver, alors ils se roulent par terre et se mordent la main tellement ça brise, ils ont les yeux qui tombent sur les joues, y en a qui essayent de grimper aux murs avec des cordages et des chaînes, y a des poulies aussi des passerelles, tous qui zoukent et qui hurlent, maquillés comme au mois de mars en enfer. Ils sont au moins deux mille là-dedans, je vois des poings, des clous des corps tordus des bouches ouvertes, des mecs qui se claquent la gueule

mais souvent ça frappe à côté, des cheveux
rouges, des épis d'or, des crinières torsadées
jusque sur les fesses pour les mâles, tous peut-
être en cravate-veston à neuf heures au bureau
le lendemain matin avec leur serviette de mana-
geur, et puis d'autres jetés qui se balancent
d'un pied sur l'autre les yeux baissés, de la
brume noire sur les paupières et les doigts qui
tremblent, tout seuls déjà, ils sont venus ils sont
plus là, j'en vois deux qui tombent d'un coup
en arrière et qui bougent plus, d'autres leur
marchent sur le ventre.

Et tous ils se la jouent féroce, c'est comme
une grande marmite où ça grouille et crame,
l'impression d'une friture humaine, tous jetés
vivants dans l'huile bouillante les pieds chauffés
comme au supplice.

J'en vois torse nu qui s'approchent la tête des
baffles à se faire péter les oreilles au maximum
des décibels, c'est le nouveau truc on me dit,
tu plonges dans le bruit, quand tu ressors tu
n'entends plus le monde, tu te déchires une vie
de silence.

Même une bonne femme aux cheveux rasés
et au crâne mauve, elle a un bébé lié dans le
dos, à peine dix ou douze mois l'enfant, déjà
les cheveux punk les yeux fermés tué de fatigue
sur sa mère qui saute, le superdébut dans la vie.

Si j'ai le regard pas droit, dit Dominique,

c'est peut-être après tout que le monde est tordu.

Je suis Amira qui se repère à l'aise, je peux pas lui parler à cause du niveau, elle me fait des signes, mon poisson-pilote. Des fois je la perds et je me sens dans la menace, tout peut m'arriver d'un côté de l'autre, on peut me frapper dans le sensible ou me violer même, tu pourrais croire qu'on a sauté en dehors du monde, adieu les flics adieu les préfets et la loi, ici tu plonges dans la mêlée des hommes, dans le souterrain du grand **châtiment**. Tu cherches les fourches et les yeux de sang, les voix qui grincent, faudrait pas s'étonner de voir de longues queues poilues sortir des jeans à ton passage.

On s'amène dans le hangar numéro 2 où c'est bientôt la fin des choses. Deux mecs le torse nu se fouettent avec des chaînes à pointes de fer, ça jette partout des giclées rouges. Je vois du sang tomber en gouttes sur le visage blanc d'une fille, elle se passe le doigt dessus et elle suce le sang d'un autre, quand elle rit on voit qu'elle a passé ses dents au vernis noir.

Des désoudés qu'on applaudit se plantent des crochets dans la chair les joues les seins les épaules et se font soulever en extase par des poulies, en bas tous les autres claquent des mains, les corps accrochés planent dans l'espace, des gouttes de sang pleuvent tout autour, c'est la saison des averses rouges.

Une fille s'est fait percer la langue pour y planter une boule verte, façon de dire il est à moi ce corps j'en fais ce que je veux, si ça me plaît de me couper un pied et de le bouffer j'ai le droit, c'est pas le corps d'un autre c'est le mien qu'on m'a donné à ma naissance, le seul vrai cadeau qu'on m'ait fait, ça personne jamais pourra me l'enlever, paraît qu'il y a des filles qui sont prêtes à se faire tuer, vraiment tuer, pour qu'on les filme en train de mourir dans les snuffs, tout ça pour quatre secondes de gloire, passer en lumière dans le noir d'après, pas une mort inconnue comme d'autres, et aussi pour un peu de fric à laisser derrière si on a des mômes.

Ça baise un peu partout couché debout à plus savoir à qui se rattachent les sexes, je vois même pas les protections, à croire que tous ici viennent danser avec la mort, qu'elle me prenne ils disent je suis prêt, je lui dis merde et merde encore à la mort, tu veux que je meure je meurs, compte pas sur moi pour pleurer de peur, pas devant les autres en tout cas.

Un mec s'incruste dans les joues et le front des bouts de verre de couleur. Une fille s'est enfoncé un clou dans la main, là aussi ça saigne, elle regarde ça, au même moment un gros mec l'encule ou s'il fait semblant c'est bien imité. Tous fument, sniffent, se branlent, se shootent, il fait sombre et ça hurle dur, les vampires de cinéma à côté de ça c'est de la tendresse, ici aucun Quasimodo se risquerait, c'est le caveau du grand étonnement, celui que tu soupçonnais pas, la party finale, tu t'attends à voir passer à travers les murailles de grands oiseaux noirs aux becs d'acier qui piqueraient la chair humaine et emporteraient les morceaux.

Amira se glisse au milieu comme dans les allées d'une grande surface, elle se laisse toucher des fois et même elle se marre avec ses dents tellement blanches, elle danse un peu, mais tout à coup je sens qu'elle me glisse un portefeuille ou un peu de fric, que je les abrite dans mon blouson. Une fois ça manque tourner mal, un mec la coince mais elle montre ses deux mains vides et elle sourit, puis elle met ses bras autour du cou du mec avec toujours son sourire à elle, l'autre se laisse avoir, il lui prend les fesses dans les mains et se les attire, leur danse c'est exactement comme s'ils baisaient, et puis comme un savon elle se glisse de lui et il l'a perdue.

Il gueule un peu mais c'est pour rien. Tu gueules ici et c'est comme un murmure.

Je vois des casques brillants, des tignasses blanches, des gants avec du métal comme dans

Mad Max, des sabres des fouets un chien énorme et énervé, de la bière des shooters et de la vodka qui passent sur des plateaux de plomb, des pétards des filles au cul nu, quelques gros mastards pour on sait jamais, des vitres cassées, des bottes qui écrasent.

Une heure là-dedans j'étouffe et on s'en va. Amira dit d'ailleurs qu'il faut jamais rester longtemps, on te repère.

Un motard nous ramène sans casque à trois sur sa bécane et nous jette dans Bagnolet en pleine nuit. On marche un peu, Amira semble savoir où elle va, à un carrefour elle s'arrête et me dit salut donne-moi ça. Elle veut dire ce que je porte dans mon blouson, son butin du soir, cinq six portefeuilles deux montres des petits bijoux de banlieue, même un peu de thune.

Je me vide, elle a sur elle un sac plastique, elle fourre tout dedans, la voilà maintenant qui me tend la joue et me dit merci salut Chimo. Toi tu es riche, elle me fait, tu as besoin de rien.

Je suis là attendri de fatigue en face d'elle au bord du carrefour, un moment l'audace me vient de lui prendre la main de la tirer vers moi, j'ai jamais fait ça avec personne au monde et même que ça la surprend, je vois ses yeux noirs qui s'étonnent, elle me demande : Chimo qu'est-ce qui te prend qu'est-ce que tu veux ?

Je lui dis que ce que je veux c'est clair tout de même, que cette nuit s'achève pas séparément, qu'on essaye peut-être de trouver quelque part un moment de caresse ensemble, ça nous ferait du bien après ce qu'on a vu, et puis dans le fond tu es ma femme aussi. Je lui dis qu'elle me plaît comme je sais pas l'exprimer, tout le temps elle me plaît, mais surtout là debout sur le trottoir un peu avant le retour du soleil.

Elle me regarde avec un air de surprise dans ses yeux où la nuit est claire et elle me dit ça :

— Mais tu rêves, Chimo ? Tu y es pas du tout. Faut pas te monter la tête à ce sujet-là.

— Et pourquoi ? je dis.

— Parce que ce que tu proposes c'est pas possible.

— Et pourquoi ? moi je dis encore.

— À cause de mon père, elle me fait.

— Qu'est-ce qu'il vient faire ici ton père ?

— Je te l'ai jamais dit ?

— Non.

— Mon père, il m'a fait jurer de jamais entrer dans le lit d'un homme à moins que ce soit le lit d'un voleur.

J'en reste éteint. J'oublie même de rappeler que mon blouson a fait recel. Mais sûrement ça compte pas.

Elle me fait tchao et elle s'en va dans la nuit. Elle s'engage dans le carrefour, vide à cette heure. Sans se retourner, le sac plastique au bout des doigts.

Tapis volant. Comme si ses pieds n'avaient pas besoin de la terre. En s'en allant, elle chante quelque chose d'inconnu.

Personne sait où elle habite.

15

Finalement je me laisse entraîner un soir par Fabrice qui a besoin d'aide. Je sais bien que j'aurais pas dû mais c'est une affaire tranquille dit Dominique, une maison fermée à Vincennes, indispensable aussi que je me fasse des émotions nocturnes, si des fois on se fait piquer c'est rien de sérieux, pas de récidive, juste une semonce et voilà.

Et Amira pourra plus dire.

On arrive en voiture après minuit, une autre Mercedes à Fabrice, pas loin d'un chemin de fer et le bois de l'autre côté. Cinquante derniers mètres à pied, Fabrice on l'entend jamais quand il marche. Voilà l'objet : tout bien paisible bien soigné, une maison blanche avec un jardin et un mur. Fabrice a apporté une échelle tubulaire démontable, c'est léger ça tient pas de place, ça se cale en un rien contre le mur et nous sommes dans le jardin déjà. Je regarde faire Fabrice, il agit comme dans sa chambre. Il ramène l'échelle avec une ficelle sombre et la cale bien de l'autre côté, à l'intérieur du mur, au cas où il faudrait se tirer rapide j'imagine.

Apparemment c'est tout pensé.

Traversée du jardin, tout éteint, pas de chien hurleur, presque aucun bruit de nos pas dans l'herbe, rêve d'un vol.

La maison a été repérée depuis l'immeuble d'à côté. Fabrice a son assistant qui fait ça, Juanito, c'est un Espagnol. Son truc c'est de s'inventer des commissions, des plis à porter, des messages, il se carre une casquette et va dans les bureaux comme pour chercher le destinataire, un nom qu'il invente, forcément on le fait attendre dans les couloirs on le balade, il va revient raconte qu'il s'est trompé d'étage, si mal parlé qu'on comprend rien, ça peut durer une heure ou plus, pendant ce temps il repère par les fenêtres, même avec photos c'est possible.

Fabrice vient près d'une porte basse dans le jardin, ça doit donner sur une cave. Trois petites marches à descendre et là il commence. Travail à la pince comme autrefois, celle qui est courbée et effilée des deux côtés, il me murmure dans le noir qu'on n'a rien trouvé de plus efficace. D'ailleurs on n'a pas vraiment changé les portes, sauf quelques blindées, alors pourquoi changer les pinces qui les font sauter ?

J'allume une torche discrète, je la protège

avec ma main. Fabrice introduit le bout de la pince en haut de la porte et pèse dessus pour entrebâiller. Là il glisse un bouchon de liège qu'il prend dans sa poche. Alors il fait descendre un peu la pince, pèse un peu plus bas que ça bâille et il met en place un second bouchon. L'autre bouchon, celui du dessus, glisse et tombe à ce moment-là, mais c'est du liège ça s'entend pas, malin quand même.

Ainsi de suite la porte peu à peu s'entrouvre. Faut maintenant casser le milieu, la serrure, c'est le seul effort qui fera du bruit. D'abord bien choisir la prise, je l'éclaire comme je peux. Il enfonce le bout de la pince, appuie dessus des deux mains, puis à l'instant de la poussée finale il aboie très fort, que tu croirais un chien réveillé par un cauchemar tout à coup, ça couvre le bruit du craquement moi-même je l'entends à peine.

La porte est ouverte, simple comme ça. Fabrice ramasse ses bouchons et me fait signe de le suivre avec la lampe.

Jamais connu vraiment cette sensation de percer, c'est comme trouer un ventre de pierre, entrer chez les autres par effraction, te dire que ça y est c'est fait, tu es de l'autre côté de la loi, oui mais tu risques rien, y a personne tu peux tout prendre, tous ces gens ont vécu pour toi tu es venu pour ramasser, avoue le délice à voix basse.

On monte un petit escalier lui le premier, avec une lampe chacun maintenant, la porte intermédiaire est pas fermée c'est bien ça fait gagner du temps, on prend pied dans un grand salon. À moi en tout cas il paraît immense et craquant de choses.

Fabrice passe aussitôt dans l'entrée et jette un coup d'œil, c'est là qu'est l'alarme. À voix basse il me dit qu'on va pas s'avancer par là, on repartira par la cave. Faut oublier l'entrée, il y a danger. On voit la petite veilleuse rouge, comme l'œil d'un oiseau mauvais.

Dans le salon je regarde faire l'as des as. Son visage s'est allumé, même dans l'ombre ça se remarque. Vérifier d'abord que tout est fermé, les rideaux surtout. Il monte à l'étage et redescend avec un grand dessus-de-lit, c'est pour bien calfeutrer la large fenêtre sur la rue, qu'on voie rien du dehors, pas même une ligne de lumière. Je grimpe sur une chaise et je l'aide à bien tout fixer à l'agrafeuse.

Après, chacun sa lampe, on examine un peu l'endroit. Des tas de meubles et d'objets que je connais pas, je peux pas dire si ça vaut quelque chose, Fabrice fait la gueule on dirait qu'il attendait mieux. Je le regarde opérer maintenant, d'abord les tiroirs pour chercher du fric, il en trouve pas ça l'énerve un peu. Il prend quelques carnets de timbres, lui qui écrit jamais. Puis il s'attaque à une vitrine très vite ouverte, je vois qu'il choisit quelques bibelots c'est là paraît-il qu'il est fort, un pauvre garçon sans éducation dans le genre et pourtant il devine les bons objets, comme s'il voyait avec ses doigts, il tâte des statuettes des bracelets des petites boîtes, des trucs que j'ai vus que dans les boutiques de la rue, même pas souvent. Il trouve aussi de l'argenterie, on dit que ça vaut beaucoup moins qu'avant, y aurait trop de métal argent sur la terre.

Moi je suis là j'ose pas toucher je regarde. Être chez des gens, voir les photographies sur les murs dans des cadres, un homme sérieux en soldat, trois enfants ensemble, une paire de mules noires dans un coin, un parapluie et des fleurs sèches dans un vase. Ça sent la vie un peu fanée, ça sent l'habitude et l'absence, toutes ces bricoles entassées pendant des années juste pour Fabrice et pour moi qu'on se le rafle en cinq minutes, je me dis que c'est pas possible, la maison va se mettre à crier à pleurer. Mais rien, la nuit toujours et Fabrice au travail dans le silence des objets.

Il ouvre une commode et regarde partout sous le linge mais proprement, sans mettre un seul doigt de désordre, même à se demander si on notera son passage. Dans un tiroir il trouve une assez grosse boîte en bois, fermée à clé, il ouvre à la pince avec un clac. À l'intérieur à la lueur des deux torches tout un lot de photos pornos, photos genre amateur qu'on dirait de famille, des partouzes en Polaroïd, toutes les figures du cul. Des femmes bien coiffées une bite dans chaque main regardent l'appareil et se marrent. Une petite brune se branle avec le manche d'une ombrelle blanche, d'autres jouent au docteur sur une table de cuisine, un mec habillé en Zorro s'est peint un Z sur le cylindre, avec son fouet il menace. Une blonde masquée a l'air de faire non non avec la main, faut dire qu'elle a une bite tout près des lèvres et une autre dans le bas du dos quelque part.

Parties de plaisir, secrets de famille. Dominique a raison : des petits sacs cachés un peu partout, chacun son commerce au noir et sa mignonne contrebande. Je vois que Fabrice a l'air de trouver ça intéressant et qu'il s'attarde, la bouche un peu ouverte. Même il met des photos dans ses poches. Je lui dis à voix basse de se grouiller, il me répond qu'il a le temps qu'il se régale.

Et tout ça s'est passé ici on dirait bien. C'est vrai que du coup moi aussi j'ai moins de scrupules.

J'entre dans la pièce à côté, c'est un bureau, je vois une bibliothèque en bois brillant, la première dans ma vie si je compte pas le cinéma, remplie de livres reliés. Je reste planté là devant, paraît que certains de ces bouquins valent de la thune mais il faut connaître, je tourne la petite clé dorée j'ouvre doucement la porte vitrée, je passe mon doigt sur les dos en cuir, toutes ces choses écrites je me dis, je vois les *Confessions* de Jean-Jacques Rousseau je prends le livre, j'ai presque envie tout de suite là de me mettre à lire dans l'imprudence.

Je vais quand même jusqu'au bureau, il y a une lampe, des classeurs, un agenda, au moins trente stylos et crayons dans un vase, une règle une gomme des boîtes d'agrafes et de trombones, deux petits carnets des médicaments, la photo des mêmes enfants, une main en bronze pour tenir des papiers, un ordinateur portable que je m'emporte, une calculette, des livres, deux téléphones un blanc un noir, des kleenex un réveil un fax un interphone de l'encre et des cartouches aussi, quoi encore je sais plus très bien, c'est le second bureau que je vois après celui de l'avocat, je me dis quel fourbi tout ça, ça me fascine à regarder cet attirail, tout ce bazar en pleine nuit prêt pour la main, un marché aux puces gratuit.

J'ouvre un tiroir puis un deuxième, je trouve un portefeuille. Dedans des cartes de crédit, de téléphone, une carte Hertz, des petits papiers et puis le bout d'un billet de banque qui dépasse. Je me le tire entre deux doigts, le billet vient tout doucement, le pied le joli pied madame, c'est qu'un billet de deux cents balles mais quand même, y en a un autre en dessous plié puis encore un autre.

Pour la première fois vraiment je vole je peux dire. Ça me frissonne un peu les mains cet argent qu'un autre a gagné et que maintenant je m'accapare, de l'argent pur, de l'argent de source, trois billets de deux cents qui changent de maître dans le silence. Je veux pas faire l'apologie de ça mais tout de même je comprends Dominique, il appelle ça transfusion et dit que ça vaut des médicaments, je comprends ma femme Amira et mon grand voleur de beau-père à courir là-bas dans la steppe, connaître ça au moins une fois c'est une piqûre grisante, une sorte d'anesthésie je pourrais dire, une secousse dans le secret, la fin des choses interdites.

Et tant de questions qui te viennent à la tête : pourquoi c'est à moi, pourquoi c'est à toi, pourquoi ça l'est plus.

Je laisse le portefeuille en place, soigneusement je ferme le tiroir.

Avec les trois billets de banque et le bouquin je reviens dans la grande pièce où Fabrice fourre son sac. Je lui montre les six cents balles, il fait la moue. Où tu vas avec six cents balles ? il a l'air de dire. Et c'est vrai que l'argent c'est toujours le meilleur à ramener d'une visite, au moins y a pas à le fourguer, c'est tout propre et direct d'usage, mais les gens en gardent bien

171

moins qu'avant à la maison, maintenant tout se paye avec des RIB avec des cartes, les gens plus ils ont de thune et moins ils la mettent au soleil. Dominique il dit qu'un des grands efforts du monde moderne c'est de détruire la beauté, et parmi les choses vraiment belles il place l'argent, qu'on est en train de faire disparaître de la vue des hommes comme toutes les beautés naturelles. Une fois dans un film américain il a vu une grosse liasse de dollars rouler entre les mains d'un chef, il met ça au même niveau, question beauté, que les vieilles sculptures d'Égypte.

Je montre le livre à Fabrice, ça lui dit rien. Je le prends si je veux, il s'en fout. Une seule chose : ça encombre.

On voit aussi des tableaux sur les murs, des paysages les ruines d'un pont une grosse tête de cheval, mais là aussi c'est trop d'embarras et d'incertitude. Fabrice a trouvé quelques plaquettes en velours bleu, avec des pièces en or dedans, pas une fortune mais simple d'écoule.

Et alors là voilà : des pas, des clés, la porte de la rue qui s'ouvre et une lumière dans le couloir. Une voix d'homme dit : attends que j'arrête l'alarme.

Fabrice rapide me fait signe de me mettre avec lui sous la grande table qui est là et bien entendu d'éteindre la lampe. Ce qu'on fait. On est là dans le noir tout recroquevillés, comme des poules à l'entrée du renard. Mon cœur s'entend jusque dans la rue, porté par la nuit. Deux personnes viennent d'entrer ça se devine, étonnant même vu que Juanito garantissait que la maison est vide en ce moment, mais pas le temps d'approfondir ou protester, clair qu'un mec est là avec une fille et ça parlemente à voix basse, la fille veut pas lui il veut, ils allument la lumière dans l'entrée ce qui me fait voir Fabrice en face de moi tout à fait tranquille et indifférent par exemple. Même profitant du peu de lumière il prend des photos pornos dans sa poche et les regarde comme il peut, j'en reviens pas, on dit bien des nerfs de voleur je comprends pourquoi maintenant, je nous vois déjà découverts par les arrivants et lui l'air abruti qui dit bonsoir pardon, ah oui bien sûr nous sommes là, pourquoi comment ça je sais pas, juste là tous les deux accroupis sous la table, voleurs oh non sûrement pas, ça non alors, simplement voilà on se trouve là, on se repose on fait rien de mal, si on vous dérange on s'en va et pardon encore.

Je me dis aussi que s'ils passent dans le salon ils vont voir le couvre-lit tiré devant la fenêtre. Pourvu que la conne à côté accepte de monter direct à l'étage, quelle teignasse aussi de suivre un mec en pleine nuit jusque chez lui, et au dernier moment l'idiote elle freine sur ses deux fesses. J'entends des non des si, et puis comme un bruit de billets et le mec « allez viens ça sera pas long, j'ai tellement envie tu sais », je me penche doucement et je vois leurs pieds, le mec porte des mocassins la fille est en pantalon et chaussures noires, un billet tombe sur le plancher elle se baisse et le ramasse, c'est une blonde avec lunettes et elle se décide enfin, pas longtemps alors elle dit, ils montent par l'escalier, on entend leurs pas au-dessus, des bruits d'eau et puis de sommier.

Temps de partir. Fabrice toujours calme remet les photos dans sa poche, il me fait signe et nous sortons comme des limaces de dessous la table. On ramasse tout en mouvements lents, retour par la cave et par le jardin. Fabrice insiste pour emporter l'échelle tubulaire, un objet rare. En revenant dans la voiture je m'inquiète pour les empreintes. T'en fais pas, il me dit, ça joue pas dans ce cas. Les flics vont pas s'amener avec leur labo pour si peu de chose.

En route de nuit vers Bagnolet il me dit qu'une maison pareille ça mériterait des meubles plus classe, que la commode était une copie vilaine, que les bibelots c'est du bric-à-brac sauf deux ou trois vieux trucs peut-être. Heureusement il a mis la main sur quelques bijoux, trois ou quatre montres, il me dit : tiens ça c'est pour Amira ça lui plaira, je vous ai pas fait de cadeau de noces c'est en or.

Il me donne un bracelet avec quelques

pierres rouges et bleues je lui dis merci, je mets aussi les six cents francs dans le butin, je garde le bouquin c'est d'accord, il m'annonce qu'il faudra filer sa ristourne à Juanito, elle dépendra du total, on verra ça dans trois quatre semaines, le temps de faire le tour des brocanteurs connectés à des antiquaires, les objets piqués ça prend presque toujours un chemin parallèle, tout ça organisé depuis longtemps, ça finit à l'étranger presque toujours et le butin de l'étranger chez nous, et merci encore à l'Europe unie qui rend plus faciles les choses.

16

Un homme se pointe tous les jours ou presque au Balto on l'appelle le Proviseur, il arrive arrogant comme une tour peu avant midi haut et maigre, impeccable, les plis du pantalon à trancher les melons, au moins une heure à se peaufiner le matin avant de sortir j'imagine, gonflé de mépris, comme on dit il lance ses pets du haut des marches, mais après trois quatre muscats — c'est ça qu'il boit — tout se déglingue, même sa cravate est moins fière, il penche peu à peu sur le comptoir puis il s'écroule, il déballe sa vie sans gloire sa retraite sa femme barrée ses enfants crétins, on finit par plus rien comprendre à ce qu'il raconte, des mots qui n'ont pas de rapport, et il s'en va cassé en deux vers les cinq heures, le pantalon dégringolé, les mains devant lui pour trouver la porte.

Le lendemain le revoilà le nez en l'air, très au-dessus de l'espèce humaine et ça recommence, une marionnette dans un clocher. De temps en temps quand même je l'écoute, vu qu'il y a des choses qui me plaisent assez dans ses litanies et j'ai toujours la mémoire exacte des phrases.

Chaque matin il a l'air de s'étonner que le monde existe aujourd'hui encore. Normalement nous aurions dû crever pendant la nuit. Nous sommes là, étrange étrange. Quand il s'en va, ça ne rate jamais : « Je ne vous dis pas à demain. »

— Vous devez comprendre une chose, il me dit un jour en levant le doigt comme en classe, une chose, une seule, c'est que les poux des riches regardent les autres de haut. Tout est là. Comprenez ça et vous vivrez dans la clarté. Nous sommes les poux de la terre et nous claquons de vanité. Des poux qui se demandent sérieusement : mais pourquoi donc les poux existent ? Comment ça se fait que je sois un pou ? Quel est le sens de ma vie de pou ? Hein ?

Il a l'air de m'interroger avant de me mettre une note, je lui dis que j'ai pas appris ça.

— Alors, il continue avec le coin des yeux piqué de rouge, alors le pou s'invente des dieux, des dieux poux, qui l'ont façonné à leur image comme vous pensez, un dieu pou en trois personnes même, avec une mère des poux, un rédempteur pou, des saints poux, des miracles pour les poux, une conscience une

âme de pou, et nous voilà pompant goulûment
le sang de la terre, le sang charbon, le sang
pétrole le fer l'eau de mer et l'humus, tout le
sang possible et rapidement parce que c'est
notre condition et notre mission s'il vous plaît
de pomper le sang en dessous de nous, et pourtant la couche vivable est tellement mince si
vous saviez, quelques mètres à peine et fragi-
lissime, et là-dessus toute une marmaille de
poux qui se multiplient, un et un font quatre,
même six ou huit, et tous qui s'émerveillent
d'être poux, qui pompent à fond, qui se demandent s'il y a d'autres poux eux aussi géniaux sur
d'autres crânes, où on pourrait pomper davantage encore, qui se prosternent devant le super-
pou, qui inventent pour les poux une vie
éternelle, un enfer pour les poux un diable pou
des anges poux, tout ça mon jeune ami à pleurer de misère, franchement vous savez je ne
vous envie pas d'être jeune avec tout ce que
vous allez souffrir.

Les poux c'est son meilleur refrain, ça lui
vient sur la langue une fois par semaine. Un
homme amer au fond, une vieille sueur, il a sa
vie bloquée au fond de la gorge par moments
elle remonte avec des hoquets, ça sent le rance
et le chagrin.

— Paraît que vous avez écrit un livre de
cochonneries, il me dit un jour, comptez pas
sur moi pour le lire, les cochonneries c'est pour

les cochons, c'est ce qu'on écrit quand on n'a rien à dire. Mais aussi qu'est-ce que vous voudriez raconter ? Des mômes comme vous, venus de nulle part, écroulés les pattes cassées dans des canapés devant la télé, nourris à la pizza gluante, et vous voudriez devenir écrivains. Mais ça va pas mieux la pensée ! Pour être écrivain il faut savoir écrire mon jeune monsieur pauvre petit con, faut être savant, faut être au-dessus du commun ! Vous comprenez ça ? Avoir un peu de ciel dans la tête ! Mais vous ! Non mais des fois ! Alors évidemment quand vous trempez la plume dans l'encrier c'est pour la ressortir couverte de foutre et de rien d'autre, vous ne voyez pas plus loin que votre bite ça au moins c'est clair et aujourd'hui les éditeurs dès qu'ils sentent une odeur de cul entre les pages ils envoient un chèque, et je vais vous dire une bonne chose, y a pas que les clandestins qui sont de trop en France, les femmes aussi faudrait les renvoyer dans leur pays !

Là-dessus il se jette sur un petit muscat, il brûle sa retraite en muscat, et ses pantalons qui déjà zigzaguent.

Je l'écoute des fois quand même assez longtemps. C'est un homme qui vit seul dans le désespoir mais qui sait des choses, il a été professeur d'histoire à Saint-Cloud puis proviseur dans un lycée, il connaît à fond les siècles

d'avant et les aime bien, celui qui se termine il
peut pas le blairer, un siècle de poux.

— C'est le siècle de la conquête de la mort,
il me dit un jour. Le siècle des massacres des
déserts et des incendies. Si encore on n'avait
tué que des hommes ! Mais tout y passe, tout ce
qui bouge tout ce qui rampe, tout ce qui voudrait vivre un peu, même une journée même
trois minutes. Rasibus les petites flammes. Bien-
venue à la grande baraque, c'est à l'enseigne de
l'éteignoir pour tous. On n'a que cette vie mon
petit cochon et regarde ce qu'on en fout ! Ah
oui ! On te dit qu'il y en a une autre ! Tu y
crois, toi, que tu vas vivre après ta mort ? Mais
quelle connerie, tu te rends compte un peu ?
Tu es là les yeux fermés, ton lit bouge au milieu
de la nuit, tu te fais bercer par des fantômes. Et
tous font semblant d'y croire, et tu sais pourquoi ? Pour pouvoir bien tranquillement te bar-
boter cette vie-là, cette vie de maintenant, là, la
tienne, te la voler, la seule que tu auras jamais
évidemment ! (À partir du cinquième muscat il
me tutoie, il tutoie tout le monde.) Mais maintenant mon petit vivant mon petit con, c'est
trop tard pour te réveiller, le printemps chargé
de promesses on lui a filé sa dose de poison, il
râle sur le bord de la route. La planète entre
dans le coma, pour se défendre elle a essayé ses
derniers virus, ça n'a pas marché. Trop ingé-
nieux, les assassins. Quand les lèvres ont dis-

paru les dents ont froid, c'est en Chine qu'ils disent ça et ils ont raison. Il ne nous reste que les dents, et encore pas toutes, elles font clac-clac, on est à l'agonie et on parle de l'avenir, allez passez-moi le couteau il faut mourir mon petit agneau y a plus d'herbe.

C'est le prophète du bistrot, soixante-douze ans paraît-il, habillé de noir, chauve avec des lunettes, la viande à son visage a l'air mal accrochée, un cou de dindon dans une chemise trop large. Je l'écoute et des fois quand même il me met la trouille. La patronne a beau dire que des comme lui y en a toujours eu, que chaque troquet a le sien, je me demande s'il aurait pas raison. Le prochain siècle où je vivrai, là dans trois ans, je le vois pas bien annoncé, c'est le contraire. On nous a collé une belle merde dans le grand espace tout bleu.

Le Proviseur, il peut pas accepter qu'il va mourir bientôt et que tout ça continuera sans lui, encore un moment il demande, il nous traite de poux, de rats, de sales branleurs de cadavres puis les mots s'embrouillent avec le muscat dans sa bouche et le soir sûrement il tombe en pleurant dans son lit.

Combien de temps il tiendra comme ça? C'est tout pareil que Mireille-la-débâcle, on se demande où est la source d'énergie, la pile à se remonter toute seule, des cordes qui n'en finissent pas de perdre des fibres à frotter contre le rocher, mais toujours l'alpiniste reste suspendu dans le vide.

Dans un deux-pièces qu'il visitait la nuit dans le douzième pas loin de la porte Dorée, Fabrice s'est fait surprendre par une bonne femme qui habite là. Elle rentrait du cinéma plus tôt que prévu, raison que le film lui déplaisait, trop de sang qui giclait partout. Elle entre, elle allume dans le living, elle tombe sur Fabrice en train de commencer son choix d'objets.

— Qu'est-ce que vous cherchez là ? elle lui demande.

— Moi ? Je cherche une femme, il répond par réflexe, l'air toujours écrasé de bêtise.

— Ici ?

— Ici, partout, vous voyez bien. Je cherche que ça. Je cherche toujours une femme. Mais c'est difficile à trouver. J'allais partir.

— Quel genre de femme ? elle lui demande en fermant la porte.

Elle c'est le genre soixante piges et technicolor, taille citrouille, faux cils, peinte partout et pas l'air d'avoir peur la nuit. Sans doute pas connu le mâle de tout l'hiver, nous dit Fabrice, mais c'est juste son impression.

Il répond la bouche béante qu'il cherche une femme surtout pas trop jeune, parce que lui les jeunes elles lui tirent les nerfs avec leur musique américaine et puis elles savent parler de rien, que de leurs organes, ce qui les empêche pas d'avoir des projets pour la vie. Non, ce qu'il cherche c'est une femme pour ainsi dire d'expérience qui ne penserait pas à fonder famille (parce que ça c'est trop compliqué pour lui et de toute façon y a rien de plus con) et aussi qui aimerait causer aux nuages, c'est comme ça qu'il se présente.

Elle comprend à mesure qu'il parle.

Elle fait pas attention vraiment aux objets qui sont là sur la table, de la bricole d'ailleurs d'après Fabrice, des machins de fête foraine ou des souvenirs de Bandol, et elle lui dit avec netteté :

— Je vais pisser, assieds-toi, je reviens.

Elle passe sans honte dans la salle de bains et Fabrice l'entend pisser solidement, elle avait envie de ça d'abord, après il entend des bruits de vêtements et de pots de crème comme moi le soir de Mona, il se demande s'il va se tirer non il reste, elle revient les cheveux défaits les faux cils barrés, la poitrine au rez-de-chaussée dans une nuisette saumon, elle attrape la nuisette une main de chaque côté — Fabrice l'imite en fillette, fait sa révérence — et elle demande :

— Une femme dans ce genre-là par exemple ?

Fabrice a une grande tranquillité naturelle, je l'ai déjà dit c'est presque incroyable, du sang glacé, et quand il veut se concentrer ça lui est facile. Pour bander il a deux images clés qu'il se passe dedans la tête, il a jamais voulu me dire lesquelles, quand l'une marche pas l'autre si.

— Une vraie démangée, il nous raconte. Elle se jette sur moi comme un filet. Dès que je la mets elle se lance à crier aïe aïe aïe, c'est bon c'est bon mais que tu me fais mal ! Ouh là aussi tu me fais mal ! Ouh là aussi ! J'avais l'impression de baiser avec une théière en porcelaine, collée de partout. J'osais même pas lui toucher l'oreille, crainte qu'elle me reste dans les doigts. Elle criait tellement que les voisins tapaient dans les murs, hé il est tard on travaille demain et les gosses vont à l'école, même à la porte on a sonné, n'y va surtout pas me dit la théière, enfonce enfonce, c'est tous des envieux des baise de bonne heure, je suis en procès avec eux t'occupe pas enfonce bien, j'avais du mal à suivre le manège, je me concentrais sur mes deux images heureusement, ça s'est calmé quand elle a pris son pied presque en apoplexie, puis elle est retombée sur le canapé comme un parachute qui touche terre. Les yeux fermés, j'ai cru qu'elle dormait.

Mais trois minutes après elle disait à voix très basse : « Tu peux emporter un souvenir si tu veux. — Mais non, je fais. — Mais si. Ils emportent tous quelque chose. »

Je me redresse et je regarde tout autour, je

vois rien qui me plaît vraiment. J'entends sa voix : « Le coupe-papier sur le petit bureau il est en ivoire et l'incrustation est en or. Prends-le ça me fera plaisir. — Si tu veux, je lui dis. — Il a appartenu à Edmond Rostand. Il me vient de ma grand-mère qui l'a bien connu. C'est tout ce qu'elle avait gardé de lui, la pauvre idiote. »

À ce moment-là Fabrice s'est aperçu qu'elle pleurait. Il a remis ses pantalons vite vite, il a pris le coupe-papier et il est parti.

Elle lui a dit merci avant qu'il sorte.

Toute une famille marocaine à Villemomble, des épiciers, qui se fait arrêter pour trafic de hasch. Ils avaient des cousins éparpillés qui les fournissaient et toute la famille pesait et préparait les paquets le soir et la nuit, tous en vendaient, soit à la boutique soit ailleurs, même la grand-mère très pieuse en faisant ses courses, même les mômes en apportaient à l'école dans leurs cartables ça se traitait à la récréation, tout ça bien tranquille depuis trois quatre ans minimum, il a fallu que quelqu'un se plaigne d'une baisse de qualité, pas prouvée d'ailleurs, et la voilà bouclée l'épicerie et tous fourrés dans un charter ils étaient au moins une quinzaine, la bonne mafia des familles, l'avenir peut-être, mais à qui ils faisaient du mal avec leurs paquets d'illusions il faudra me le dire un jour. Le tabac peut nuire à votre santé, ça c'est prouvé, même établi par la science, et l'État lui paye la propagande. L'État, ça veut dire tous ceux qui payent des impôts, moi par exemple l'année prochaine, et qui fume pas.

Sans compter le rallye Paris-Dakar, cette vraie saloperie qui soulève de la poussière pour intoxiquer les Africains avec du tabac. Mais pas de charter vers l'Europe pour les pilotes, pas de reconduite et de pieds au cul, ça c'est bien dommage.

Quand tu entres par force dans le monde et que tu le vois aussi mal foutu tu penses d'abord à fuir ou à te cacher mais c'est pas commode. L'œuf s'est brisé, comment rentrer dedans ? Tu te demandes alors comment le changer, comment le faire un peu moins dur un peu moins louf, mais qu'est-ce que tu peux réaliser toi l'isolé, toi le miston aux jambes nues ? Qu'est-ce que tu peux, toi l'innocent ?

— Tu peux te faire cuire un œuf, dit le Proviseur après deux muscats. On a des excédents de beurre.

Encore avec les Marocains je prends un exemple léger. Je connais une autre histoire arrivée ici dans le coin, un jour si je pouvais j'aimerais l'écrire en détail. Une fille et un jeune mec, c'est des gens que Danielle fréquente, elle a quinze ans et lui seize, ils s'aiment ils veulent se fiancer, la mère dit c'est un peu tôt quand même, ta sœur vient à peine d'avoir un bébé, vous pouvez bien attendre deux trois ans. Alors les deux jeunes prennent des couteaux à la cuisine et ils vont tuer la sœur le mari le bébé. On les trouve dans le sang devant la télévision qui marche toujours, le matin.

La mère comprend tout de suite, elle court à la police, elle dénonce les deux jeunes on les arrête, ils ont laissé des traces partout, d'ailleurs ils avouent, ils disent pas pourquoi ils ont assassiné, « ça nous est passé par la tête », la mère se met à crier qu'il faut tuer sa fille tout de suite, elle aurait dû le faire elle-même beaucoup plus tôt, elle savait que ça finirait comme ça — tuez ma fille elle dit, tuez-la, rétablissez la peine de mort rien que pour elle ! — parce que le démon l'a prise en possession quand elle a eu ses règles, je le savais, mon Dieu mon Dieu j'aurais dû la tuer, ce jour-là !

Oui le démon encore, et le vingtième siècle qui s'achève. La mère a hurlé à la mort partout, les juges lui ont dit de se calmer qu'on allait voir, faire une enquête évidemment, mais la fille de quinze ans, la meurtrière, s'est mise à crier dans un bureau paraît-il, à crier oui c'est vrai je suis le diable je suis le diable, il faut me tuer maintenant tout de suite sinon dès que je pourrai je tuerai ma mère, je jure que je la tuerai !

Même sans lire les journaux ou sans regarder la télé chaque jour une horreur nouvelle.

Je demande au Proviseur, qui connaît l'histoire des siècles : c'était pareil avant ?

Il me répond pas directement, il me dit :

— C'est en Amérique qu'ils ont de beaux crimes. Les plus beaux du monde, ça au moins c'est sûr. Tu vois un professeur d'université, tout respectable et bon daddy, un beau jour il achète un fusil bien perfectionné, cinquante boîtes de cartouches, il monte au sommet d'un gratte-ciel et se met à descendre au hasard les passants. Ça oui, ça a de l'allure franchement, ça vous dévisse bien la tête. Ou alors un dentiste peinard, dans le Minnesota le Wisconsin, ses voisins le dénoncent, les pompiers creusent son jardin, on y découvre quarante-deux cadavres d'adolescents. Ça c'est du travail. En Europe on a bien eu ce Belge l'année dernière, un assez joli massacreur, mais c'est un cas trop isolé.

— Vous êtes d'accord avec ça ? moi je lui demande.

— L'espèce humaine ne peut compter que sur elle-même pour se détruire, il me répond le doigt en l'air. Elle est son propre humanicide, tu comprends ? (Septième muscat.) Elle est une vraie saleté, le poison du système solaire, et comme toutes les saletés elle se multiplie à vitesse extrême. Il n'y a rien à changer à ça mon jeune ami. Non, aucun progrès n'est envisageable. C'est de naissance. Le bébé est déjà tout pourri avant de parler et on lui fait guili-guili qu'il est mignon.

— Et alors ?

— Alors ? Imagine maintenant que ces beaux tueurs, ces exterminateurs magnifiques, au lieu d'être une dizaine à peine par an, soient des centaines de milliers ou des millions et que chacun descende quarante ou cinquante de ses semblables, ça ferait du net tout de même.

— Un million de tueurs, je dis, et mettons cinquante victimes par tueur, ça ferait que cinquante millions de morts.

— Tu as raison. Une goutte d'eau en moins dans le marécage. Et un million d'assassins fous, c'est déjà beaucoup demander.

Un brin mélancolique il attaque le huitième muscat de la journée et ça repart :

— Ce qu'il faudrait, tu vois, et j'y ai bien réfléchi, c'est un rayon de la mort anonyme. Je m'explique. Un groupe de physiciens dévoués, qui travaillent secrètement, inventent un rayon invisible qui désintègre la chair humaine, uniquement cette chair-là, on calcule le truc d'après les chromosomes puis on fabrique un appareil assez petit, on dirait une caméra vidéo, puis toi et moi on se balade à travers le monde et on fait semblant de filmer les foules.

— On se ferait vite remarquer.

— J'ai pensé à ça figure-toi. Alors voilà

l'astuce : il faudrait que le rayon ait un effet décalé, de deux à trois mois par exemple, qu'on ait le temps de se débiner. Tout à coup des gens se désintègrent brutalement, hop d'un seul coup y a plus personne juste un tas de vêtements sur le trottoir, avec un sac des lunettes une montre, par dizaines de milliers ou par centaines, et un peu partout dans le monde. Mais quelle beauté ça serait ! Ça oui, ça pourrait dégager de la place. Et la planète qui ferait ouf. Un remède idéal, sans douleur, sans méchanceté. Pfuit, plus personne. Des millions de petits tas de vêtements un peu partout. Vous n'avez pas vu ma femme ? Juste trouvé sa robe et son collier. A dû se tirer avec un ange. Et ça permettrait de choisir les cibles, de viser les foules des stades tu comprends, les gares les sorties d'églises les bals publics, les manifestations pour n'importe quoi, les sorties de lycées aussi.

— De lycées ? je demande étonné.

— Mais bien sûr, il me fait. Plus on tue jeune et mieux ça vaut. Les vieux ne peuvent plus procréer, n'est-ce pas ? Et surtout les lycées de filles, car chaque fille est un porteur d'hommes en puissance, donc une porteuse d'horreur. Ah ! ça oui ça serait une révolution ! Bien radicale même. Allez, allez, désintégrez-vous messieurs et mesdames. Et merci merci dirait la planète, comme une bête à qui on enlève ses poux.

Il se relance sur les poux, mais comme je l'ai déjà rapporté une fois, ici je saute.

— Je vais vous dire la vérité, mon petit jeune homme, il me fait encore, et vous êtes libre de ne pas me croire. Si on me disait qu'on a trouvé un moyen, n'importe lequel, pour réduire d'un seul coup de moitié la population de la terre, j'accepterais sans hésiter ! Sans hésiter ! Même avec une chance sur deux que je sois parmi les éliminés !

Et aussi par moments forcément il fatigue.

De lui il faudra bientôt parler au passé, si seulement on se souvient de lui. Ce siècle qu'il pouvait pas sentir, il semble qu'il va pas le finir.

Avant-hier sans raison il a bu un muscat de plus que les autres jours. Il est sorti comme un vieux sac d'os, se heurtant partout, une épaule nettement plus haute que l'autre, en traversant l'avenue on aurait dit qu'il était le seul à lutter contre un vent terrible. Une camionnette de livraison l'a encadré, le voilà transporté à l'hôpital tout en morceaux, en plus on lui a trouvé une belle cirrhose à ce qu'il paraît.

On se dit entre nous que c'est la fin, qu'il l'a bien cherchée mais que c'est dommage quand même, enfin tout ça. Il y a des clients, dit la patronne du Balto, on sait qu'on les reverra plus. Dans le métier c'est des choses qu'on sent.

Il va claquer un de ces quatre, furibard entouré d'infirmières aux vêtements blancs,

191

emportant ses rêves de destruction pour sauver le monde.

Il a jamais répondu à ma question sur les autres siècles, si c'est pire aujourd'hui ou non. Peut-être qu'il en savait rien après tout. Ou bien qu'il voulait pas me dire.

— Faut que je pense à plus commander de muscat, dit la patronne. Il était pratiquement le seul à en boire.

17

Un peu chaque jour je vieillis, et même je le sens, bientôt ça sera fini d'être jeune. Si quelqu'un pouvait me dire ce que c'est vraiment la jeunesse et à quelle heure ça s'achève. Je me vois comme une sauterelle qui se penche sur l'eau pour dire bonjour aux poissons qui ont faim. Je suis là j'ai été volé et je fais copain avec mes voleurs, même je les invite à boire, c'est de la compagnie coûteuse mais avec eux je me sens mieux que seul au monde, je suis marié sans une femme dans mon lit, je sais même pas où elle se couche chaque soir ou chaque matin et contre qui sa peau s'endort, je suis comme l'autre qui se jetait dans l'eau pour se protéger de la pluie, ou brûlait sa veste à cause des puces.

Aussi comme un insecte au chaud dans les poils d'un gras animal, mais si l'animal crève où je vais ?

Ridicule ma vie souvent je me dis ça, Chimo tu t'enfonces dans le tunnel chaque jour plus, méfie-toi les parois se resserrent, t'as plus de pile de rechange pour ta lampe et tu marches sur du danger, d'autres fois quand même je me rassure et je me dis que je travaille, que j'écris un livre peut-être, la raison qui me coince là, et pendant ce temps je sens la peur qui monte comme de l'eau sale je sais pas pourquoi exactement, ça commence par un creux pâle dans l'estomac le matin surtout et la langue chaude, je suis debout devant le lavabo j'ose pas me voir, même plus la force de m'insulter, j'ai du mal à bouger mon corps même à me mettre sous la douche, je regarde dans la glace le lit ouvert j'ai envie de me recoucher, de me couvrir la tête avec le drap, des fois je le fais.

Dans la rue je crois que les gens me regardent et qu'ils parlent bas derrière mon dos, ils disent c'est ce petit con de Chimo qui se prend pour un grand artiste et se fait plumer comme un couillon neuf. Je me retourne, je vais de travers, des fois je sais plus ce que je fais pourquoi je suis là dans cette rue, mes jambes m'ont porté sur des trottoirs où je suis perdu, j'ai tellement peur que je me rends pas compte de mes gestes, je vis avec ça, la peur elle est venue sans s'annoncer c'est déjà ma vieille chemise.

Des fois je m'arrête quand je marche et j'ai les épaules bloquées, je suis fait de pierre et de béton subitement, je reste là je bouge plus j'attends que quelque chose arrive, quoi exactement je sais pas, après il suffit d'un klaxon qui passe ou d'un cri de chien et je me remets à marcher, je me dis qu'un jour peut-être je serai pas le seul à m'arrêter, tout le monde en même temps s'arrêtera se fixera, de la colle forte sous les semelles et réalisé sans trucage.

Tout le monde attendra quelque chose qui peut-être viendra jamais, ça sera ça la fin du monde, au lieu des explosions géantes la paralysie générale, j'ai vu la mort une fois à la télé dans une émission médicale, les globules dans les veines qui ralentissent tous ensemble et puis s'arrêtent et c'est fini, fini terminé pour toujours, dans les rues ce sera pareil je me dis. Pas besoin d'un magasin de bombes ou d'une épidémie barbare. Juste l'arrêt-terminus lentement, personne qui descend et personne qui monte, grève surprise illimitée, plus jamais de sonnerie pour te secouer vers le travail.

J'ai peur, j'ai peur. Si je me trouvais dans la forêt-jungle avec un tigre me déboulant au cul, au moins je saurais de quoi j'ai peur. Je dis pas que je saurais comment m'en tirer, je suis pas du genre à poignarder le cœur des fauves avec un canif, mais je pourrais peut-être sauter sur un arbre ou dans l'eau, je me coucherais dans les hautes herbes en suppliant le dieu local que le tigre ait bouffé sa gazelle le matin même, ou bien un chasseur viendrait me sauver comme dans les films du Bengale.

Mais là dans la rue à Bagnolet y a rien de tout ça, la panique elle est invisible elle est dans l'air elle te vient sournoise comme l'as des voleurs, tu te crois seul tout à coup on te prend la nuque et ça serre. Pourquoi j'ai peur ? je me dis quelquefois. Tu as peur de mourir à ton âge Chimo ? Même pas peut-être. C'est de la peur plus grave que la mort. Plus vague aussi, plus dangereuse, comme un étouffement de brume. La mort après tout, je l'ai bien vu avec Lila, ça vient comme l'orage dans un ciel qui l'attendait pas, tu inspires tu es vivant, tu expires tu es mort, vite passé brutal et puis tranquille, tranquille pour longtemps longtemps, quant à savoir s'il y a quelqu'un là-bas qui m'attend avec un bâton pointu et du feu, ou au contraire avec du miel posé au bout des seins de femmes immortelles, ça franchement je commence à bien m'en taper, ça semble le rêve des autres.

Chaque fois pourtant que je sors, et même dans l'escalier même dans ma chambre, la peur me reprend dans sa grande main, qu'est-ce que je pourrais craindre de pire que de mourir dans la souffrance je me demande, et là aussi personne avec une réponse.

Je dis encore une chose de la mort peut-être.

Si seulement une fois je pouvais mourir un moment pour voir comment c'est. Après j'aurais moins peur évidemment.

Mais personne peut te dire comment c'est

mourir. Si ça fait mal, si c'est doux au contraire comme l'arrivée du sommeil, si tout s'arrête brusquement ou si pendant un petit moment tu sens encore quelque chose.

J'ai vu mourir une chatte un jour au Vieux Chêne. De vieillesse elle s'en allait c'était fini, au milieu de l'été pourtant elle tremblait de froid, elle sortait les dents, elle avait les pattes tendues et raides. Son propriétaire, un Tunisien aux cheveux blancs, l'enveloppait dans des vieilles étoffes pour la réchauffer et lui parlait doucement en arabe, la caressait. J'étais là debout je la regardais, elle avait les yeux fermés complètement les dents saillantes de plus en plus on voyait que ça, et jusqu'à la mort elle grelottait. Elle entendait plus rien sans doute. En général on tue les animaux ou bien on les trouve morts le matin sous un meuble. Celle-là quittait la vie avec des secousses terribles. Elle se battait une dernière fois contre quelque chose et moi j'étais sûr qu'elle souffrait.

Pourquoi on aurait droit à une autre vie, nous les hommes, et pas les animaux, il faudra bien qu'un jour on me l'explique aussi.

Décider de donner sa vie, se sacrifier pour ceci pour cela, encore des mots que tu entends partout. Même le père d'un copain un jour : mon fils il est prêt à mourir pour la Palestine. Sans parler que c'était pas sûr, comment un père peut décider ça pour son fils ? J'ai huit enfants, j'en donne deux ou trois à la mort, il dit le généreux papa. Et comment les mecs peuvent s'attacher de la dynamite autour du ventre et s'exploser dans un autobus ? Tu te déchires entièrement d'un coup c'est fini ta vie, celle des passagers aussi, tu meurs criminel collectif et même tu sauras jamais pourquoi tu l'as fait.

Si on pouvait mourir un peu mais pas tout à fait, jeter un coup d'œil par la fenêtre noire et puis rentrer la tête rapide. Le dur, c'est que c'est oui ou non. Ici ou là-bas. Tu vis tu meurs, pas autre chose. Tu passes d'un côté de la paroi à l'autre, du côté que tu connais à celui qu'on peut pas connaître. Une fois mon père m'a parlé de la mort en rêve, il était mort mais pas vraiment, il revenait s'asseoir à la maison un peu fatigué, je lui demandais des détails sur la mort ça m'intéressait, il me regardait en secouant la tête et il me parlait, je me rappelle plus ce qu'il me disait, de toute façon ça comptait pas puisqu'il est pas encore mort, tout ce qu'il pouvait me dire c'était bidon, sa mort comme sa vie-absence.

Un jour je dis à Dominique que je voudrais voir Amira, vu qu'elle est ma femme quand même. Aux yeux des flics il faut bien qu'on nous voie ensemble de temps en temps, sinon soupçon. Dominique m'apprend qu'elle a un portable, je l'appelle je lui explique et je la retrouve au Tropical pour un déjeuner. J'étais venu pour me plaindre un peu mais je renonce à la vue de ses yeux. Elle commande une orangeade en bouteille, moi un cocktail fruits exotiques, puis elle me regarde et me demande comment je vais. Alors je me déballe, je lui dis que j'ai peur.

— Peur de quoi ? elle fait.

Justement, je lui dis, je sais pas de quoi vraiment j'ai peur. Je vois bien des petites raisons ici ou là comme tout le monde, mais pas de quoi trembler sur pied comme ça m'arrive maintenant.

— J'ai connu un homme, elle me dit, il avait tellement peur que quand il enlevait sa veste elle tremblait encore un moment sur le cintre.

Des histoires comme ça, Amira, elle les sort comme des fraises d'un mouchoir. C'est aussi ce que j'aime en elle, presque autant que ses yeux, sa grande bouche, tout ce corps taillé pour la course, que quand elle ouvre ses lèvres pour parler tu sais jamais quel nouveau miracle va lui glisser entre les lèvres, et venu d'où.

— De quoi il avait peur, lui ? je demande.

— Il me l'a pas dit.

— C'était le boxeur ?

— Quel boxeur ?

Le garçon s'amène avec les boissons et demande ce qu'on veut manger, tout inscrit sur un tableau noir. Elle prend des pâtes avec des crevettes, moi du poulet aux épices des îles. Elle me regarde encore de ces yeux qui viennent de loin, elle boit une paille d'orangeade et puis me dit :

— C'est vrai que t'as pas l'air costaud Chimo. Tu travailles à fond ?

— Mais non.

— Alors quoi ?

J'essaye de lui expliquer mais ça vient pas bien. Je bois d'un coup la moitié du cocktail, qui est avec du rhum, et alors je commence à parler. Je me rappelle pas bien ce que j'ai dit mais en tout cas ça :

— Surtout ce que je suis devenu, ça me fait peur.

— Tu veux dire quoi ? elle demande.

Ce que je blâme, je me lance alors, ce que je blâme, mais blâmer qui ça je peux pas dire, c'est ce que je suis maintenant, ce que j'ai perdu en un an à peine, mon côté bouche d'or et confiant en tous, que malgré les viols à la cité, les bagarres les crimes et tout, la couleur gaieté restait la plus forte, l'espoir qu'un jour on va se sortir la tête du sable, qu'ailleurs c'est mieux qu'on trouvera un petit carré au soleil, de quoi vivre et aimer quelqu'un avoir des mômes, prêter des outils aux voisins, mais maintenant mon cœur est lancé dans une descente sans fin, je vois que peut-être je suis le seul à être naïf dans mon genre, gentil et con, que tous autour de moi sont des vicieux teignards, des larves, des maniaques suceurs de sang, derniers chapitres d'une vilaine histoire, c'est de ça surtout que je me lamente, ça je le dis à Amira qui me regarde sans bouger, de n'être plus le même que j'étais, chose qui arrive à d'autres peut-être dès qu'ils veulent voir le reste du monde, je l'ai perdu mon regard clair.

On peut aussi fermer la porte et clouer des fleurs en plastique dans sa chambre, passer sa vie dans le sirop, la bite au repos et un foulard noir sur les yeux, chanter que la vie ah c'est merveilleux, les sources le soleil et les petits oiseaux maman, et même que l'homme il est bon au fond, cette vieille blague. Franchement c'est pas ma façon de vivre, j'ai envie de goûter aux liqueurs fortes aussi, je croyais que c'était possible, que la beauté sur la terre elle ouvrait ses cuisses à tous ceux qui bandent, qu'il suffisait de tendre la main pour tenir un fruit, et **non** seulement tu dois payer avec ton pognon mais quelque part avec ton âme, chaque fois ça te coûte un peu de fraîcheur, tu es né avec un morceau de paradis comme tous les autres mais les rats chaque jour te le croquent, et voilà maintenant Amira c'est trop tard, j'ai plus de vingt et un ans c'est trop tard, il y a des choses que j'ai vues que je pourrai pas oublier, elles sont gravées comme avec du feu.

Amira je la regarde et je lui dis ça à peu près :

— Je suis triste en pensant à moi, à ce que j'étais l'année dernière. J'ai cru que jusque-là je frappais à la mauvaise porte mais toutes les portes sont mauvaises, le jeu est nul.

Je voudrais pas me faire plaindre, c'est le contraire, je voudrais lui dire que je l'aime comme les hiboux aiment la nuit, comme les voiliers aiment le vent, comme les filous aiment l'ombre, comme les mouchoirs aiment les larmes. Mais j'arrive pas à lui parler d'amour, à cette fille qui me dresse. Je lui dis ça, tout en faiblesse :

— Je me sens glisser, Amira. Celui que j'étais plus jeune est totalement déçu par ce que je suis. J'ai dans la cervelle des idées de vieux, comme de la brume gelée. Je me voyais pas comme ça, pas du tout. Et je sais pas à quoi ça tient, à moi ou au reste du monde. Si tous les naïfs se rouillent comme moi. Si les bons cœurs battent toujours en solitude, que même un ami n'entend rien. Si ma vie d'innocence elle est finie déjà. Surtout si j'ai perdu ce que j'avais de bien, raison de plus pourquoi j'ai peur, pourquoi j'ai peur.

À peine elle a entamé ses pâtes, elle s'est bloquée la fourchette en l'air à me fixer et tout à coup je vois ses yeux mouillés mais gravement, et même des gouttes qui coulent.

Elle pleure là en silence en me regardant.

Je peux pas croire cette image, c'est pas possible c'est pas réel, elle doit penser à autre chose, à son père qui serait mort peut-être.

Elle me demande :

— C'est vrai ?

Je lui réponds oui que c'est vrai, sinon alors pourquoi le dire ?

— Et moi Chimo, j'y suis pour quelque chose ?

— Toi évidemment.

— Si je couchais avec toi une fois tu te sentirais mieux tu crois ?

— Je me sentirais mieux une fois, c'est sûr.

— Tu as fait le coup de Vincennes avec Fabrice ?

— Tu le sais bien. Je t'ai rapporté un cadeau. C'est ce bracelet que tu mets jamais.

— Tu sais pourquoi je le mets pas ?

— Dis-moi.

— Parce que les pierres rouges étaient de vrais rubis. Cinq vrais rubis. Je les ai enlevés pour les envoyer à mon père. Maintenant je vais pas porter un bracelet sans pierres, tu es d'accord ?

— Pourquoi tu les as envoyés à ton père, les rubis ?

— Il en avait besoin, elle me dit.

— Ça valait cher ?

— Tu penses bien, sinon.

Combien, ou à peu près, je le saurai jamais.

Arrive un silence. Elle baisse la tête et fredonne quelque chose dans une langue de là-bas. À ces moments-là, elle disparaît. Elle est sur son cheval dans une plaine nue, elle parle au vent.

Je bouge pas j'attends qu'elle revienne. Deux minutes je compte, au moins.

Elle me regarde de nouveau et elle demande :

— Tu voudrais là ? Cet après-midi ? Aujourd'hui ?

— Je voudrais quand tu veux, tu sais.

— Si je couchais, elle me dit, faudrait pas que tu penses que c'est à cause du mariage.

— Ni non plus pour me consoler, moi je dis.

— Ni non plus pour te consoler, tu as raison. Ce serait parce que j'aimerais ça, d'accord ?

Je suis d'accord d'accord, je le lui dis. Ce serait parce qu'elle aimerait ça, parce qu'elle aurait envie de ça. Pour aucune autre raison sur la terre.

Mais ça va vraiment m'arriver ou quoi ? Ce serait possible subitement cet après-midi ? J'ose presque pas respirer. Je crains, si je respire fort, que je me réveille. Le ciel s'ouvrirait et des anges le long d'une échelle viendraient m'apporter des bananes, je serais pas plus étonné.

— Autre chose aussi il faudrait, elle me dit.

— C'est quoi ?

— Aller dans un hôtel que j'ai vu en photo et prendre une suite pour la nuit. Ça te coûterait quatre mille francs avec le dîner.

— Quatre mille francs pour une nuit ? (Je trouve ça délire.)

— Avec le dîner au champagne. C'est ça ou rien. Je baise dans les herbes ou alors dans la suite de cet hôtel, comme je l'ai vue en photo.

— C'est quel hôtel ?

— L'hôtel Raphaël à l'Étoile.

— Je connais pas, je dis.

— Naturellement tu connais pas. Moi non plus, ni Dominique ni Fabrice. C'est pour les princes un hôtel comme ça. Alors tu es d'accord ?

— Je pourrais payer avec un chèque ?

— C'est mieux de prendre du liquide. Tu as le temps de passer à la banque. Alors c'est oui ou quoi ?

— Bien sûr c'est oui !

— Attends-moi là. J'appelle pour savoir s'ils ont une suite aujourd'hui. Je veux celle de la photo, pas une autre.

Elle me laisse cinq minutes avec mon poulet qui se refroidit. Quand elle revient tout est arrangé. Ils ont la même suite à chaque étage. Une sera libre à cinq heures. Elle a demandé des fleurs en supplément.

— Il faut que j'aille chez moi me changer, elle me dit. Prends un taxi à quatre heures et demie. Tu me trouveras là. Salut.

Elle écrit une adresse sur la nappe en papier et elle s'en va tout de suite.

18

Un seul taxi deux heures plus tard à la mairie de Bagnolet, une vieille caisse craquante, dedans ça pue le clebs pas propre, le chauffeur est tassé tout gras tout chauve des lunettes d'ancêtre et des moustaches jaunes, à côté de lui une vieille bête aux oreilles basses et assez rogneuses, on dirait des aubergines déjà trop mûres, elle me donne un regard fatigué quand je m'assieds sur le siège qui pleure, on démarre doucement, je dois prendre Amira au métro Avron, je sais pas comment trois minutes à peine après le départ l'homme commence à me dire qu'il était violoniste dans un orchestre folk, il voyageait beaucoup surtout en Angleterre mais finalement ça le lassait, à cause de sa chienne surtout, à l'époque en Angleterre on mettait les chiens en quarantaine alors vous comprenez, moi je peux pas vivre sans ma chienne, qu'on le prenne comme on voudra, c'est pas qu'elle me défendrait si je suis attaqué, pas du tout, elle est courageuse comme un lézard, mais une chienne-louve ça fait peur aux gens, moi ça me suffit, dans mon taxi je peux la prendre tout le temps, alors adieu la musique je fais taxi et point final.

On s'approche du périf et il me fait :

— Là elle va se lever et mettre sa tête contre le pare-brise en regardant en l'air. Vous savez pourquoi ?

Je lui dis que non, je sais pas pourquoi.

— Elle a peur des tunnels, il m'explique, elle croit qu'on aura jamais la place de passer parce que c'est trop bas. Elle connaît tous les tunnels mais ça fait rien, elle peut pas se raisonner. Vous voyez ? Elle se bouge, elle sait qu'il arrive le tunnel.

La vieille chienne-louve se lève et s'agite, elle gémit et elle bave même.

— Ah merde te couche pas sur moi ! il lui crie. Je tiens le volant petite conne ! Faut vous dire aussi qu'elle a peur de l'eau. C'est le seul chien qui sache pas nager. Le pire pour elle c'est les bords de Seine, avec les tunnels et la flotte, ça fait beaucoup en même temps. Alors le plus souvent je les évite, si le client s'étonne je lui explique et s'il a des chiens il comprend.

— Ça se soigne ? je lui demande, pour le pousser un peu encore.

— J'ai vu deux vétérinaires déjà, ils m'ont dit tous les deux la même chose, les chiens c'est pire que les gens qui font des angoisses, un chien vous comprenez on peut pas le raisonner, il faut le garder comme ça ou le piquer. Mais je vais quand même pas la piquer moi qui fais taxi rien que pour elle ! En plus vous savez quoi ?

— Non, je dis.

— Elle m'a foutu la trouille avec ses trouilles, mais oui, j'ai dû voir un toubib de la tête à Sceaux il m'a guéri avec des pilules, mais vous vous rendez compte les frais pour garder sa chienne ! Hein, mémère ?

Il lui gratte un peu la tête et lui dit :

— Tu fais chier ton monde mais tu es la plus belle.

Amira est déjà là métro Avron debout habillée en princesse, une robe bleue longue et brodée partout, un voile de soie, un chapeau comme on en voit pas dans les rues, un grand sac en tissu de couleur sur l'épaule, une princesse un peu gitane un peu cinéma je l'ai jamais vue comme ça, d'ordinaire c'est blouson bluejeans, le chauffeur de taxi s'étonne et me fait :

— C'est elle ? Eh bien dites donc !

Elle entre dans la voiture avec un parfum qui fait oublier l'odeur de la chienne, avec ses doigts elle me touche un peu la main sans dire un mot et on repart. Pas un mot entre nous jusqu'à l'hôtel Raphaël, du coup le chauffeur se tait lui aussi et même la chienne, c'est tout un voyage en silence.

Arrêt devant l'hôtel, pour moi c'est comme entrer dans le Palais du Gouverneur, je sais rien de ce qu'il faut faire, un homme habillé bien sombre avec un sourire de commerce nous reçoit derrière un comptoir en bois, on va vous conduire à votre suite, j'entends ça avec mes oreilles qui rêvent, à la discrète il me demande quand même comment j'ai l'intention de régler je lui dis en liquide et tout de suite là, il me dit d'accord et empoche en souplesse mes huit billets de cinq cents, s'il y a des suppléments on verra plus tard, le champagne est déjà dans la chambre monsieur comme madame l'a demandé, j'espère que tout sera à votre convenance, un autre en veste blanche nous conduit maintenant dans un couloir long comme le Louvre, plein de tapisseries sur les murs il me semble, des potiches à planquer un homme, un vieil Arabe maigre plié dans un fauteuil en or, une grande fille à lunettes noires qui passe vite dans l'autre sens, des tableaux aussi, un bar rouge à droite, après c'est l'ascenseur toujours en plein silence, un couloir une porte et voici votre suite madame monsieur s'il vous plaît.

Le paradis que me racontait mon père s'il existe il ressemble à ça, tout doré velours et tapis, un lit avec des colonnes et un toit, des glaces des fleurs des rideaux et le côté « si vous désirez quelque chose... ».

Je sais rien de ce que je dois faire mais j'ai

payé alors je suis chez moi jusqu'à demain, la veste blanche se retire, et Amira qui ouvre déjà le champagne et qui me dit qu'elle a besoin de boire un peu, moi aussi je pense. Elle boit même à notre nuit de noces et elle rit.

Je fais tinter mon verre contre le sien, mais pas tellement dans mes pompes au fond. J'ai ce que je voulais et même plus encore mais je sens mon corps qui hésite, mes jambes débiles, je vais pouvoir bander dans une chambre comme ça ? L'envie de me tirer subitement, de partir à la course dans le couloir, adieu tout le monde à bientôt.

En plus avec Amira je m'attends à tout, qu'elle se mette à m'insulter ou qu'elle saute par la fenêtre, je la connais très peu au fond.

Pourquoi elle a choisi cette chambre d'abord ? Elle y vient souvent ? Avec son boxeur ? Avec d'autres ? Tu peux pas t'empêcher que ces questions te dérangent la tête, tu peux pas accepter que ton étoile pour une fois soit bonne, ça te paraît comme des fruits sur un plateau d'argent qu'on va t'enlever d'un coup sec.

On boit, après elle me dit qu'elle doit rester seule quinze minutes dans la chambre. Je peux descendre au bar si je veux ou passer dans la salle de bains, je choisis la salle de bains.

Je laisse un peu la porte entrouverte quand même et dans une glace je la vois, elle se déshabille à moitié, elle trace avec son doigt un cercle ou un carré sur le tapis, dans son sac elle prend des petits cailloux qu'elle dispose sauf deux qu'elle garde dans les mains, puis elle se met dans des positions que je comprends pas, sur une jambe sur l'autre jambe, ou bien aplatie sur le sol, elle fait des gestes pas clairs en disant des mots que j'entends à peine, c'est pas du français de toute manière. À la fin elle place ses deux mains sur ses yeux et j'entends un cri de la gorge, c'est terminé. Elle ramasse ses cailloux elle les range elle m'appelle.

— Excuse-moi, elle me dit, mais je peux pas faire autrement. C'est comme ça ou pas du tout. Regarde maintenant je suis nue.

Très vite elle n'a plus aucun vêtement et elle me montre son corps, le sexe noir sur la peau blanche.

— Regarde-moi mais pas longtemps, elle me dit. Après ce que j'ai fait, il faut que tout arrive vite, sinon je dois recommencer. Viens n'attends pas.

Ses bras se tendent, je suis dedans.

Au milieu de ma vie qui est encore si courte, c'est une nuit que quelque chose a préservée, un moment de miracle placé loin de l'oubli. D'abord elle m'a montré des choses que je devinais que par la pensée, et même pas toutes, je vais pas les décrire ici j'en suis pas capable, les mots resteraient loin des sensations, à des moments par exemple elle me parlait dans sa langue, même elle chantait, ça me semblait le langage du vent, elle a touché la joie trois quatre fois avec des déchirements dans la gorge le corps soulevé au-dessus du lit, elle aimait se montrer aussi, me voir avec elle, sur les fauteuils dans les miroirs, faire avec moi des choses rares, me donner tout.

Voilà : j'entrais dans un pays que je connaissais que par petits bouts, là je découvrais des bois des rivières des fleurs et un palais sans fin, fait avec des pierres de chair. Plus tard peut-être je me demanderai où elle a appris ces voyages et trouvé la carte de ce pays, peut-être seulement dans sa tête qui sait, il paraît que certaines femmes n'ont pas besoin qu'on leur apprenne, mais les hommes si, toujours, sinon ils baisent comme des pioches et passent à côté des finesses.

Nous avons mangé du carré d'agneau dans la chambre avec du bordeaux, servis par deux larbins toujours en veste blanche, un tas de nouveautés pour moi, passé minuit Amira a recommandé du champagne et aussi des toasts avec du saumon au citron parce que la faim se ramenait.

Elle me raconte ça en mangeant :

— J'étais petite, sept huit ans, mon père m'a envoyée dix mois dans une autre tribu pour apprendre à lire et écrire. Des parents de très loin, ils vivent sous une tente riche avec des tapis des coussins. Juste arrivée chez eux j'ai commencé à voler de tout, des tasses en argent des montres une radio des bracelets. Par un chamelier j'envoyais tout par paquets à mon père en secret par le désert et la montagne. À force les parents ont tout découvert, j'étais pas très maligne encore ils m'ont piégée, puis ils ont envoyé une lettre à mon père en disant : voilà nous avons reçu ta fille ici, nous l'avons nourrie et éduquée et en échange elle nous vole. Elle nous a pris ceci et cela. Tu dois nous renvoyer tous les objets ou nous rembourser. Mon père s'est fait lire la lettre, il a réfléchi pendant six mois, j'étais déjà de retour près de lui, puis il a fait écrire une réponse. Il a placé sa lettre au fond d'un sac sur un chameau et il a dit au chamelier d'aller chez les parents avec sa lettre. Le chamelier a fait ce que voulait mon père. La lettre disait : ma fille a mangé et dormi chez vous je vous remercie, elle a appris à lire et à écrire je vous remercie tous, ça nous est très utile, elle a aussi appris à voler et je vous remercie encore davantage. Les objets volés ne se rendent pas, ma fille serait trop humiliée, alors je les garde. Gardez le chameau.

Elle rit longtemps. Elle dit que son père est un grand seigneur dans son genre. Toujours à parler de son père.

Elle avait apporté dans son sac un peignoir et des sandales en tissu brodé, à des moments elle se couvrait totalement même la tête, à d'autres elle laissait tomber son peignoir en riant, elle me montrait ça et ça l'air de dire « tu en voudrais encore ? », elle a pris du champagne dans sa bouche une fois, fait le tour de table à quatre pattes et m'a sucé les yeux levés vers moi, une main posée sur ma cuisse et l'autre me tenant le manche. Dans une glace je voyais bouger comme un animal son dos et son cul. J'avais le gland tout pétillant tout agacé, ensuite elle m'a raconté que ce champagne avait le goût de moi.

Un autre pays, comme je disais. Rien à voir avec ce que je savais. Lila m'avait fourni en rêves mais elle faisait que parler. Ici maintenant je n'ai plus de doute, ici je touche et je traverse, on croit qu'on va faire un trou à la nuit et apercevoir l'autre monde.

Je me suis endormi collé contre elle avec ma main refermée sur sa chatte et je me disais, je me rappelle, avant que le sommeil m'efface, je me disais qu'une chatte vraiment c'est le contraire du béton, du sec du froid du plastique, le vrai contraire de la mort, c'est mou flexible chaud ça bouge en secret sous les doigts, comme de la terre vivante bien repliée avec une source au milieu, un peu gonflée comme un animal sous la mousse humide, une bête au cœur battant qui se cacherait des chasseurs mais ils savent bien qu'elle est là, ou alors la bosse d'une blessure plus ancienne, une bosse faite pour être saisie caressée, je me disais ça et rien que d'y penser je me régale encore, un relief doux pour que les doigts doucement s'y promènent en s'enfonçant à des moments dans des fossés d'herbe mouillée, quel endroit incroyable posé là au milieu du corps, ça se touche et se prend par-devant par-derrière, ça pourrait être entre les yeux au milieu du dos sous un bras, ça ne serait plus la perfection, et au-dessous cette ouverture compliquée et rouge de vie, la tante de Lila le disait en adoration dans son langage de chrétienne, c'est le gâteau de l'origine, le fruit confit du Saint-Esprit, la rivière où pendant la nuit les anges vont boire.

Quand je me suis réveillé, vers dix heures au moins, elle était partie. Plus une plume d'elle dans la chambre et je suis seul dans les miroirs.

Avec elle je sais qu'il faut jamais ni demander ni protester c'est comme ça, je finis les toasts de saumon, je prends une douche à la mousse puis je m'habille et je descends. Je dois payer le supplément-repas avant de sortir, avec le champagne et le bordeaux ça fait encore un tas. Ils acceptent mon chèque, ils me prennent peut-être pour un fils d'émir, un enfant gâté du troisième monde, et Amira pour la grande poule exotique. C'est le matin et je me fous de ce qu'ils pensent. Je sors, dehors il pleut je rentre en métro, dans le wagon je me demande encore où réellement j'ai passé la nuit. Des choses dans la vie sont moins vraies que d'autres, on sait pas pourquoi.

L'après-midi au Balto Fabrice m'annonce qu'Amira a été arrêtée à neuf heures du matin pas loin de l'Étoile. Elle avait rancart avec Juanito au coin de l'avenue Kléber, paraît-il que les flics l'attendaient depuis un moment. Peut-être qu'ils étaient postés toute la nuit sous nos fenêtres je me dis, mais j'en parle pas à Fabrice, je veux pas qu'il sache pour nous deux.

— Ou quelqu'un qui l'aurait dénoncée ? il me demande. Fais gaffe quand même qu'elle est ta femme, et qu'on viendra t'interroger.

Dans quelle prison ? Pas connue encore.

— Faut se tenir peinards en ce moment, me dit Fabrice. Les flics nous ont dans la lunette.

Voilà comment ça se termine une longue nuit de douceur. Ils l'ont arrêtée et mise en cabanc dans sa belle robe de sultane. Les autres taulardes ont dû se marrer. Ou alors dans son sac elle avait de quoi se changer, ce qui serait pas étonnant, c'est une femme qui prévoit.

Les flics m'ont convoqué interrogé mais pas longtemps. Ce que je faisais dans la suite du Raphaël ? Une nuit de lune de miel. Pourquoi trois semaines après le mariage ? Parce que j'économisais pour payer la nuit je réponds, c'est une nuit d'entre les nuits, j'y penserai tous les autres soirs de ma vie que je sois seul ou avec elle. Si je suis au courant qu'Amira est une voleuse à la tire ? Ah ! ça non jamais, jamais de jamais, d'ailleurs c'est une erreur certainement. Pourquoi on n'habite pas ensemble ? Ça m'arrange pour travailler, mais c'est le plus vrai des mariages, ça oui, on est jeunes on se plaît tous les deux et je l'aime après tout tellement.

Ils veulent pas me dire dans quelle prison ils l'ont jetée ni combien de temps, ils font comme s'ils savaient pas. Ce qui les intéresse, je me doute, c'est pas les bricoles d'Amira, c'est une irrégulière à pousser dehors une de plus. Mais moi monsieur le flic je suis français, né ici même si ma gueule est d'ailleurs, et Amira est ma femme totale.

— Si c'est ta femme et si tu l'aimes, me dit le flic que j'ai vu une fois, tu vas être le roi des malheureux avec cette fille.

Je vois pas où éclairent ses phares, je le lui dis.

— Écoute, il m'explique, c'est simple, ces mariages bidon ça se défait facile. Suffit d'une déclaration et d'un constat. Alors tu dis que les papiers c'était de la frime on la laisse sortir et tu la revois.

C'est tellement gros que j'en suis aveugle. Je lui dis que je vois tout noir, que je comprends pas.

— Qu'est-ce que tu comprends pas ? Tu es intelligent pourtant, tu écris des livres.

— Je comprends pas pourquoi vous la feriez sortir. Si le mariage était bidon, vous l'expulseriez.

— Y a des chances, il me fait, mais c'est pas sûr quand même.

— Quoi pas sûr ?

— Qu'on veuille pas la garder un peu.

Des mots de plus en plus obscurs dans le bureau où on m'a convoqué, un petit bureau gris, de temps en temps un mec à lunettes et moustache blonde, un supérieur visiblement, passe sa tête par la porte et demande « on le voit venir ? », l'autre répond affirmatif et ça recommence la tchatche, mais qu'est-ce que j'ai aujourd'hui à rien comprendre aux mots que j'entends, je m'énerve même et je lui dis fort :

— Mais on est mariés pour de bon ! À la mairie de Bagnolet on est inscrits et même on a couché ensemble !

— T'énerve pas.

Il regarde une fois sa montre et puis il m'envoie :

— Des fois c'est pas toi qui l'as balancée ?

— Balancé ma femme ?

D'un coup il m'a séché la bouche.

— Quelqu'un l'a balancée, il me dit sérieux. Tu crois quand même pas qu'on l'a pistée toute la nuit ? Comme chapardeuse, ta bonne femme, c'est de la bibine, ça vaut trois fois rien.

— Y a autre chose alors ?

— Fais l'innocent.

— Je fais pas l'innocent, je jure.

— Quelqu'un l'a balancée, il me répète, et on a pensé que c'était toi. Que tu voulais te débarrasser d'elle. Et que tu avais trouvé ce truc commode, une nuit dans un grand hôtel pour l'endormir et puis basta.

— Vous êtes malade.

— Quelqu'un est malade, il me fait, mais sûrement pas moi. À part la vessie qui me brûle un peu quand je bois trop sec.

Je suis paumé dans des idées, dans des phrases pleines d'épines, où que je me tourne ça fait mal. Et toujours là assis sans rien comprendre, il me parle une langue de sable.

— Tu es fermé ou quoi ? il me demande avec sa grosse voix. T'as pas l'air de te foutre de moi alors quoi ? Dans quel monde tu vivrais par hasard ? Tu lis les journaux ça t'arrive ?

Lentement maintenant ça devient clair mais je peux pas croire quand même qu'Amira serait dans un groupe d'agitateurs comme dit le flic, qu'elle m'aurait épousé comme couverture, que ses petites fauches tout le monde s'en tape, qu'elle serait une femme dure dangereuse, ayant tué sûrement. Je dis que non je peux pas croire ça, c'est juste une histoire pour faire peur, mais l'autre hoche la tête comme le mec qui sait des choses, sans hurler en plus, ce qui inquiète davantage, calme comme un docteur, ils aimeraient bien la coincer il me dit, lui faire cracher le réseau.

— Mais ça nous emmerde qu'elle soit ta femme. Tu comprends ça ?

Un poisson a sauté de l'eau, ou bien on l'a jeté, il se débat au bord de la rivière dans les herbes dans les cailloux, de quel côté sauter, combien de temps encore il peut tenir, je suis tout pareil j'en sais rien.

Je lui jure qu'il m'apprend tout, que je tombe de ma belle branche, que j'ai même pas le soupçon, il prend l'air convaincu, les flics on leur apprend à prendre cet air-là. Il me rappelle des détails sur ma vie, Mona et Haricot Vert par exemple, rien oublié, une mémoire de vautour, le crâne plein de malfaisants, la griffe prête.

— C'est du linge sale pour tes cintres, je crois te l'avoir déjà dit, tu persistes. Un de ces jours faudra quand même que tu te décides à les jeter, tes illusions. Moi non plus, si je parle pas, je ne mens jamais. Ça sert à rien de rien de réformer l'espèce humaine, ceci cela, une rigolade, les mains existaient avant les couteaux et ça tu le changeras pas, faudrait couper quelque chose là-dedans mais quoi ? il dit en se cognant le crâne avec les mains.

Pour l'instant Amira la suspecte est en taule,

bon ça va bien, mais à la sortie dans cinq ou six
mois faudra se revoir.

Quand je m'en vais il me dit encore :

— Réfléchis dur en attendant. Et surtout fais
gaffe. Tu marches dans une toile d'araignée
sans t'en rendre compte. La bête est en train
de foncer sur toi.

Si courte mon époque d'enfant, quand on
vous raconte des histoires avec des génies des
chevaux volants, j'ai pas connu les parents de
mes parents restés là-bas de l'autre côté de la
mer, morts maintenant peut-être avec ces vil-
lages égorgés, vaguement l'école coranique vers
neuf dix ans, on parlait football et nanas déjà,
on séchait la mosquée aussi, l'islam c'est
presque un étranger pour moi, j'ai lu le Coran
en résumé français ça m'a laissé pareil qu'avant,
un vieux m'a raconté le voyage du Prophète au
paradis comme s'il y était, il salivait avec ces
fleuves et ces fontaines de vin de miel, l'air de
penser qu'un jour il y goûterait lui aussi et four-
rerait son vieux bâton entre des cuisses toujours
vierges, mais moi j'y étais pas, pas du tout,
j'étais resté dans le béton de la cité que Dieu
évite.

Je suis français, j'ai appris le français et l'histoire de France, presque rien des musulmans
sinon qu'on les a repoussés, à part qu'ils ont
perdu la Gaule les Gaulois ils ont repoussé tout

le monde, Jeanne d'Arc elle a repoussé les Anglais mais avec les Arabes elle aurait fait pareil.

Des fois une musique un chant m'arrêtent dans la rue ou dans un café, ça me rappelle la radio quand j'étais tout môme ou ma mère qui fredonnait dans la cuisine avant que mon père se barre. Mais c'est des souvenirs de plus en plus courts, comme un vol d'oiseaux qui s'en vont et l'air les avale, les sons de mon enfance arabe on les a chassés emportés, presque rien n'en reste, en plus j'ai rien fait pour les retrouver, les garder. Ça touche une chose enterrée en moi mais pas morte, un petit moment je suis surpris puis j'oublie sans mélancolie adieu musique, c'est déjà plus un souvenir.

À des moments, quand l'islam me revient par le hasard des jours, je pense que les pays gouvernés par les religieux Dieu les abandonne on dirait, c'est les plus pauvres du monde souvent et ça semble étonner personne à part moi, je vois aussi que les jeunes que je connais leur religion elle faiblit elle se trouble, Dieu se fait loin, je sais même plus s'il est là encore, ou bien s'il s'est tiré dans un autre monde furieux d'avoir loupé son coup, comme un chef cuisinier laissant près de l'évier une mayonnaise ratée, j'essaye de pas trop penser à ces choses au cas où subitement ça me rendrait fou, à force de te taper la tête dans la poussière cinq fois par jour en demandant et ça et ça, tu reçois silence et misère alors tu allumes, tu peux pas t'avouer que tu t'es fait avoir, qu'avec une vieille soupe on t'a rempli le crâne et les environs, tu peux pas l'admettre ta cervelle chauffe tes veines éclatent sans te le dire, tu finis par éventrer des écolières avec un poignard au nom de Dieu qui t'a pas répondu.

Je tourne ça comme je peux depuis deux ou trois ans et j'en sors pas, d'autres doivent y penser aussi, des fois je lis un article dans un journal, ça m'avance pas, je vois à la télé les talibans à Kaboul en Asie, mais putain je me dis je rêve, interdit aux femmes de travailler, résultat rapide plus d'infirmières dans les hôpitaux et la mort qui gagne. Tout au nom du Coran, que je connais qu'en résumé, et Dieu toujours ailleurs, il a pris l'habitude, ou alors il adore ça tremper ses yeux dans notre sang qui coule.

Mais qu'Amira touche de sa main ce massacre, le flic m'a menti, je peux pas la voir dans un réseau, elle toujours seule, elle de la steppe et des tourbillons, sans prévision sans conséquence, non je peux pas la voir la rage aux yeux près des ennemis de l'amour. C'est pas son côté de la vie, ça au moins je le connais d'elle.

Et sa manière aussi d'apparaître quand elle veut puis de s'effacer, comme dans un torrent sans un effort une nageuse.

Et tout ce qu'elle m'a inventé dans les premières heures de la nuit de palace, et sa chatte tiède et ses broderies.

Et cette langue à elle qu'elle parle et chante, même seule dans la salle de bains, avec des voiles graves dans la gorge. Et ses gestes qu'on connaît pas.

Et cette façon de marcher légère, comme pour ne pas peser sur les rues.

J'en parle à Dominique, qui était au courant de l'arrestation avant moi. Ça l'intéresse pas spécialement, il hausse ses épaules rondes comme pour suggérer : des histoires de femme.

Il me dit même :

— Si ça se trouve elle s'est balancée elle-même, elle en est capable.

19

Une chose que Dominique voulait me faire briller depuis longtemps mais il osait pas, c'est qu'il est homo.

Homo jusqu'à la moelle de son âme et depuis toujours. Même dans ses gestes et dans ses façons de parler il le cache, il la joue virile et normale, et on l'a jamais pris manche en main, mais tout le monde ici s'en doute au moins surtout les filles. Danielle, elle dit : moi pour les fiottes j'ai le pif. Haricot Vert, il est de la pastille.

Et moi le candide, aveugle de jeunesse, il a fallu que j'attende jusqu'à la fin pour que mes yeux voient.

Pour m'éclairer il m'invite un soir à sortir avec lui, du jamais vu, c'est pour fêter son anniversaire il me dit et il a personne.

— On va où ? moi je lui demande.

— C'est chez des amis tu verras c'est sympa.

Il m'emmène en taxi près de la Nation

quartier Picpus et dans la voiture il dit rien, il regarde la rue je le sens gêné. Le chauffeur nous débarque et sans doute il connaît l'adresse vu qu'il nous dit quand nous sortons : bonsoir monsieur-dame.

— Quel con, fait Dominique en me guidant vers un petit café.

Je me demande encore aujourd'hui, parce que je pense souvent à ce soir-là, s'il voulait compléter mon éducation comme il disait, souffler devant moi tout le brouillard, peut-être il s'était mis ça dans la tête, tout était possible avec lui même la franchise.

En approchant de la porte, assez peu de lumière autour, il me dit :

— Les backrooms ont rouvert, faut quand même que tu voies ça.

Ses yeux s'allument un peu. Il ouvre la porte. Entrée souriante en enfer.

Adieu les femmes. Là où on pénètre, elles ont fini d'exister, le Proviseur serait ravi peut-être, c'est pas leur pays ça se voit tout de suite.

Pour traverser le café faut planter ses coudes dans la chair des hommes qui boivent et qui se parlent de très près, les yeux dans la bouche, beaucoup se tiennent par la taille ça sent le cuir et le parfum, on descend dans une première cave puis une deuxième plus grande, un ancien entrepôt plutôt, avec des pièces plus petites tout autour, une vieille bascule, un truc qui ressemble à un guichet.

— En perçant un plancher, Dominique m'explique, ils sont tombés sur cette vieille gare. C'était la Petite Ceinture. Fermée maintenant. Mais tu as vu la beauté de ces grandes fenêtres ? On peut même aller sur les rails, regarde. La lune brille sur le fer, c'est romantique.

— Et les flics ? je lui dis.

— Mais les flics aussi sont des hommes.

Dominique il est plus le même, il salue de tous les côtés, il serre des mains il embrasse il est souriant comme une mariée, il me présente, eh bien ma belle on se prive de rien, bon anniversaire quand même, avec caresse sur les corps. Je veux m'en aller mais je me retiens.

Dans les petites pièces et même dans la grande, derrière le guichet dehors aussi, tous en action, bouteille de bière brandie, mousse à la moustache, avec fouets lacets couteaux qui claquent sur les hanches de cuir, tatouages, tout le barda. Et de la douceur malgré tout.

Plus rien à voir avec le rave. Pas de spectacle ni de coquetterie, musique de cuivres assourdis, presque le silence, aussi une bande avec bruits de chaînes de claques, de baise appuyée et des mots salauds, des sons reptiles qui se coulent dans l'ombre.

Des mecs sans visage se tiennent debout nez

contre les murs frocs baissés, attendant l'amour qui est aveugle. Un barbu se promène avec des lames de rasoir boucles d'oreilles. L'impression de plonger au-dessous de la terre, là où jamais vient la lumière, on dirait des insectes en agitation, ou ces animaux du fond de la mer qui ne savent même pas qu'il y a un soleil loin dessus.

Dominique disparaît et tout à coup je me retrouve seul, j'essaye de me glisser de me faire invisible mais ça marche pas, je sens partout des mains avec des bagues qui me touchent, j'entends « salut petite gueule t'aurais envie de te faire éclater ? Je peux te fendre en deux comme une pastèque, j'ai un pilon en acier de Lorraine. J'en croque dix comme toi tous les soirs ».

J'ai pas tout retenu, je marche les yeux vers le bas j'écoute pas. Le diable est sûrement par là, il se bidonne dans un coin ou bien il pleure.

C'était la tante de Lila la catholique qui parlait tout le temps du diable, un ravissant jeune homme elle disait, au fond d'une immense caverne verte toute suintante que mille feux arrivaient pas à réchauffer, et lui au lieu de se réjouir à l'arrivée de chaque client, surtout illustre, il avait les yeux chargés de regret comme pour dire : cet homme-là aussi, malgré ses beaux airs de vertu, il était comme tous les autres, il avait donc son sac de merde quelque part puisque le voilà qui pousse la porte.

Et la tante disait que ça lui faisait pas plaisir au diable, que c'était même le contraire, car au fond il aurait souhaité que les hommes soient meilleurs que lui. Il avait rêvé d'un autre royaume.

Et le virus des temps modernes alors ? Il aurait fini de foutre la trouille. Avant même que la victoire sur l'assassin on nous l'annonce, déjà c'est reparti dans le péril, même plus noir qu'avant peut-être. Et pourtant il est toujours là, il doit bien se marrer en passant d'une chair à l'autre, à supposer qu'il soit le genre à rire.

Ou bien il se durcit, il se fortifie en cachette, il va bientôt ressortir des tranchées et contre-attaquer baïonnette en tête, mais sans clairon.

Trois mecs me prennent et me plaquent contre le mur, un qui dit : je la connais pas celle-là, et l'autre : c'est facile, on va se l'introduire. Je me débats, toutes mes forces c'est pour rien je suis maintenu par des brutes, je suis près de pisser de peur, je dis non non pas moi mais si mais si ils disent, on me défait le froc, je crie comme un aveugle qui a perdu son bâton, une voix grasse qui joue la menace me dit : tu es venu chercher quoi ici petite salope ? C'est quoi franchement ta curiosité ? Oh oui tu vas te prendre une belle vibrante, ça je te promets, ce sera la joie, pourquoi tu renâcles ?

Ils me tiennent par les cheveux à pleines mains. J'ai priorité, j'entends. Et une autre voix : dans l'état où tu es, tu vas l'abîmer, tu as vu comme il se défend, il a peut-être encore sa puce. C'est ça qui me séduit, dit la première voix, penser qu'elle se gardait pour moi, cette belle étoile.

Je sens de la chair qui me touche les fesses, des mains qui m'écartent, je serre tant que je peux je commence à suer, grand moment dans la vie d'une jeune fille, dit une voix près de mon oreille, quand tu seras grand-père tu y penseras encore, mes pieds s'empêtrent je vais tomber j'entends : tu nous la montres un peu, l'entrée de la rue de la lune ? Ce soir on fait la fête au souterrain, c'est rare de trouver une nouvelle entrée, vite vite amenez des torches.

On me tient les bras et les jambes. J'entends aussi parler de planter l'étendard. C'est peut-être des militaires. L'autre qui dit : vise un peu le joli tambour qui n'attendait que ma baguette.

Alors un grand mec passe et dit nonchalamment :

— Hé laissez-le, c'est la poulette à Domino.

— Ah bon, dit un de ceux qui me voulaient, c'est pas une fraîcheur alors ?

Ils me laissent aller, je remonte mes frocs, en cherchant la sortie je passe dans une autre pièce, c'est marqué lavabos, ce que j'ai vu et senti là-dedans encore aujourd'hui je peux pas le croire, un jeune décoloré avec des bottes et un gilet doré, attaché par une grosse chaîne à un tuyau et des mecs lui lâchent dessus, il a les yeux fermés et la bouche ouverte en extase.

J'en peux plus, j'arrive pas vraiment à comprendre ces choses, c'est juste si je peux respirer, c'est qui ces hommes et quoi leur vie ? Ils ont des femmes et des enfants ? Ils vont à l'église ou à la mosquée quelquefois ? Et je me dis aussi : c'est au moins ça que Lila a pas vu.

Dans l'autre pièce je repère Dominique appuyé contre un mur et seul, une main sur le ventre un peu pâle. Il me fait signe qu'il veut sortir, je le rejoins.

On traverse le magma vers la voie ferrée, c'est plus court de sortir par là il me dit, juste quelques marches à descendre et j'ai besoin d'air.

Il marche lentement dans l'ombre et s'appuie sur moi. Quand on arrive en bas je vois qu'il fait la grimace et qu'il souffle fort.

Une petite porte aux carreaux cassés donne sur les rails. On sort dans le noir, le fer est luisant et le vent fait bouger les arbres. Paris paraît loin.

Dominique traîne à côté de moi. Je lui demande ce qui va pas, il a toujours une main sur le ventre, « regarde ce que j'ai pris là, il me dit, tu crois que c'est grave ? ».

Sa parka est déboutonnée. Juste en dessous

de la ceinture il a le manche d'un petit couteau qui dépasse et tout autour c'est plein de sang.

— Ça me fait mal maintenant, il me dit. C'est quoi ? J'ose pas regarder.

— C'est un couteau, je lui dis en essayant de pas lui faire peur.

— J'ai un couteau enfoncé dans le bide ?

— On dirait bien. Un petit couteau.

— Ça saigne ?

Je lui dis que oui, que ça saigne.

— Faut m'amener à une pharmacie. Vite Chimo, je sens que je suis faible.

Je passe un de ses bras sur mes épaules et je le traîne un peu sur le gravier de la voie ferrée. Il est lourd, on n'ira pas loin.

— C'est le Portugais qui m'a fait ça, il me dit. J'aurais dû me méfier, il paraît qu'il l'a fait à d'autres. Il est comme ça. Il t'aime par-derrière et par-devant il te poignarde... Mais je le voulais tellement...

Il se laisse glisser et s'assied dans l'herbe tout près des rails. Je lui dis que je vais cavaler chercher un toubib ou une ambulance, ah non surtout que je m'en aille pas ! Ça va passer, il me dit, juste un petit coup de canif c'est rien. Reste avec moi. Le couteau il l'avait dans la poche de sa parka.

— Ça te fait encore mal ? je lui demande.

— Ça va, ça va... Oui ça fait un peu mal mais ça va...

Il s'appuie contre moi et ses mains me cherchent. Ses yeux se ferment puis il les ouvre encore et ses mains me cherchent.

— C'était une belle soirée quand même, pas vrai Chimo ? Tu regrettes pas que je t'aie amené ? Hein ? Tu regrettes pas au moins ? Tu m'en veux pas ? Tu comprends ; c'était mon anniversaire. Et c'est des choses qu'il faut que tu connaisses si tu dois écrire des livres...

— Je regrette pas, je lui dis.

— Montre-moi ta petite gueule, que je te voie bien...

Il lève les yeux vers moi. J'essaye de me mettre dans la lumière.

— Tu m'as plu dès le premier jour tu sais... Tellement plu que j'en étais timide... Ça me faisait triste de te voir toujours avec des putes, mais j'osais rien te dire, tu me coinçais, c'est rare que je sois comme ça...

Là sur la voie ferrée au clair de lune m'arrive une déclaration d'amour. C'est la première de ma vie. Manque un rossignol quelque part.

Il dit encore :

— C'est parce que tu me plaisais tant que j'ai essayé de t'aider... Que j'ai fait tout ça pour toi... Montre-moi encore une fois ta petite gueule, ça me fait du bien quand tu me souris. Je me repose et on partira tout de suite. On est bien là... J'aime les endroits qui servent plus à rien, pas toi ?

234

— Si, moi aussi.

Il lève encore les yeux et il me regarde. Puis il baisse la tête il se penche contre moi, il gémit encore un peu sans dire des mots, il respire un grand coup il rend l'air et puis c'est fini.

Je pense à plein de choses à la fois, à l'hôpital aux flics au Portugais, à mon argent envolé pour toujours cette fois, à ma mère aussi.

Haricot Vert taché de rouge roule encore un peu sur le côté. Ma veste aussi a dû prendre du sang. Il faudra que je me nettoie avant de rentrer.

Il est là tout tordu près de moi Dominique, il bouge plus et c'est toujours la nuit.

Maintenant je me rappelle, un jour avec Fabrice et Danielle on parlait des gens normaux et surtout des autres.

Danielle connaissait un certain paquet de tordus, mais un homme normal, elle disait, c'est le merle blanc, ça veut dire quoi ? Dès que tu as deux couilles, obligé, tu en as une de plus grosse que l'autre. Mais tu penches pas forcément du côté de la plus lourde, c'est ça l'étrange.

Fabrice avait pas d'opinion.

Faudrait qu'on nous donne un modèle, disait Danielle alors on verrait ce qui cloche.

Ce jour-là Dominique avait pas l'envie de parler, il boudait un peu. La conversation le gonflait. Je me dis maintenant que peut-être il pensait à moi, et à d'autres moments aussi.

Danielle lui demande son idée.

— Vous savez pas de quoi vous parlez, il lui envoie, alors ce que vous dites ou rien c'est pareil. Tout le monde est normal et tout le monde est anormal. C'est quand même évident, non ? Même les aveugles ont deux yeux.

— Ça c'est bien vrai, a dit Danielle.

Ça s'est passé très simplement après sa mort. On m'a interrogé à peine dix minutes. J'ai pas dit que j'étais avec lui ce soir-là, je l'ai laissé couché sur la voie, j'ai appelé Police-Secours d'une cabine. Puis je suis rentré dans ma chambre à regarder la télé jusqu'au jour.

Je crois que la backroom a été fermée quelque temps, mais sûrement ça s'est ouvert ailleurs, ça se multiplie en vitesse.

L'assassinat de Dominique, ça n'a intéressé personne, ce qui l'aurait déçu peut-être, ou peut-être pas. Même mort, il est flou.

On a fait une collecte entre nous et expédié son corps dans le Midi. Il avait une vieille mère là-bas, il lui envoyait de l'argent quand il en avait, le mien peut-être.

20

Souvent seul le soir je m'agite cette question que je posais au Proviseur, si c'était mieux ou pire autrefois ou pareil. Une question qu'il a laissée derrière lui et moi j'ai pas les éléments pour la réponse.

La semaine passée je regardais une émission à la télé sur les prisonniers des camps en Bosnie. On disait que les gardiens serbes obligeaient les pères à enculer leurs fils, ou les frères leurs frères, sinon carrément ils les descendaient. Ça ou la mort. Et le journaliste disait que sûrement c'était de l'inédit. Du jamais vu avant, jamais. Un progrès de plus dans les rapports humains, une invention d'aujourd'hui, comme pour dire.

Et il en faudra des journées de printemps pour oublier ça.

Chaque jour je me demande où on s'en va et c'est la raison que j'ai peur. Ça et les enfants esclaves au Soudan, je l'ai vu aussi, on peut les acheter et les tuer comme on veut, des objets vivants, comme ceux à qui on arrache les yeux pour le commerce ou d'autres organes.

Pas vraiment pour moi que j'ai peur, plutôt pour l'ensemble. Des guerres civiles partout, en France aussi bientôt peut-être, et qui sait l'horreur qu'on inventera maintenant. Bientôt peut-être plus seulement un coin tranquille et beau sur la planète, même protégé au canon, et partout la lutte au couteau pour rester vivant.

À les comprendre presque, ceux qui se carbonisent pour se retrouver sur Sirius. Morts de peur avant tout, les châtrés.

Et les affreux qui se sont fait un matelas en vendant en Afrique des faux remèdes, ça aussi c'est un maximum. Des remèdes qui tuent au lieu de te soigner, il faut le gamberger quand même. Et les assassins peinards au soleil, avec plein de fric dans leurs sales bourses.

Si c'est possible de perdre l'équilibre à ce point-là, de décider d'être un salaud de mener une vie d'ordure, je me demande comment ça peut venir en tête et surtout s'il y a contagion, si ça va gagner comme un cancer dans les temps qui viennent et moi au milieu. Que plus rien d'honnête te reste, plus rien de doux, plus un atome de pitié, que l'amour ne soit plus qu'au rasoir au fouet, que tu tendes la main vers un autre que pour frapper, qu'on coupe la tête aux petites putes qui ont un peu baisé de travers et qu'on l'envoie au fond d'un sac à leur famille, ça aussi ça se fait en Europe pas loin, et les pères qui tuent leur enfant un samedi après-midi juste comme ça, motif qu'ils en ont un peu marre d'avoir un mouflet dans leurs jambes, comment descendre plus bas que ça, comment se casser plus grave encore je distingue pas, je vois rien.

C'est dans tout ça qu'il va me falloir vivre. Et les autres aussi, des milliards.

La semaine dernière dans le square un môme est tombé et s'est couronné les genoux. Il s'est pris à hurler, couché sur le gravier, sa mère était loin. Le temps qu'elle arrive personne avait aidé le petit homme à se relever, rien qu'une vieille femme qui s'était soulevée d'un banc péniblement et s'avançait avec sa canne.

Je rêve pas de tout foutre en l'air d'un seul coup, je suis pas con, je connais pas encore grand-chose de la terre mais je me rends bien compte que notre horreur elle est profonde, c'est pas un petit bouton sur la peau c'est au fond du sang, on va pas la chasser rien qu'en soufflant dessus, pas même avec un gros déferlement de bombes. Ni en parlant, ni en se faisant sauter un matin dans un autobus, ni en se roulant dans la poussière en criant que Dieu est devenu sourd.

Alors comment on pourrait faire un peu meilleures les choses ? Ce serait possible d'effacer un peu et de revenir en arrière ? De recommencer par un autre bout, de retrouver un truc qui existait peut-être et qui s'est perdu maintenant ? Elle est dans la poche de qui la petite gomme ?

Je sais pas vraiment comment agir je sais même pas comment rêver. C'est là surtout la peur, tous les matins se dire : quoi de pire à venir ?

L'autre jour au Tropical je rencontre Fabrice l'air sans vigueur devant un jus de pamplemousse. On parle un peu de Dominique qui paraît-il a laissé des dettes après lui, mais cette fois qu'on compte pas sur moi.

Puis il fait gazette, il me dit que le nouveau mec de Mona, le professeur, celui qui voulait la tirer du turf mais qui a renoncé faute de blé, est devenu rapidement un vrai féroce. Elle nourrit toute sa famille à lui et il la pousse, le jour et la nuit, il l'oblige à des trucs pas possibles, il la crève. Mona, elle songerait à devenir veuve une fois de plus.

Il me dit aussi :

— Dominique il t'aimait vraiment. À s'en rendre dingue. Il se prenait la tête pour te récupérer ton fric et il craignait que tu te barres. Pour ça aussi il se montrait sec avec toi, il voulait pas paraître tendre. Mais quand tu étais pas là il parlait que de toi.

Je rêve là-dessus sans rien dire.

Puis Fabrice me dit qu'il a vu Amira, comme ça.

— Quoi, Amira ? je lui demande.

— Juste cinq minutes.

— Elle est sortie ?

— Oh, il me fait, ils ont pas voulu la garder longtemps, ils manquent de place. Elle partait au Canada. Il y a deux semaines de ça.

J'en reste vide. Au Canada ? Quoi faire au Canada ? Fabrice en sait rien, il s'en tape.

— Et moi alors ? je lui fais. Et moi ?

Il hésite un peu puis me dit :

— Elle a pas osé.

— Elle a pas osé quoi ?

— Venir te voir. C'est ce qu'elle a dit en tout cas. Elle a pas osé.

— Qu'est-ce qu'elle a dit exactement ?

— Que tu avais été très gentil, qu'elle t'aimait bien il me semble, et puis oui de te dire merci. Elle préférait pas te voir.

— Mais pourquoi ?

— Écoute, il me dit.

Alors c'est très simple subitement. Fabrice en quelques mots m'enlève la cire des yeux. Effacés le père voleur, les grands vents des steppes, la naissance à cheval, l'alphabet sous la tente. Effacé tout ça, terminé d'un coup. Amira est de Nîmes dans le Midi, d'une famille d'ouvriers agricoles, elle s'appelle Anne-Marie. Elle a quitté son vieux un jour, elle est venue seule à Paris, elle s'est inventé tout ça, avec la fausse photo de son papa piquée aux Puces, la fausse langue qu'elle chantait des fois, toutes ses histoires, ses cailloux, ses robes de là-bas, tout ça du pipeau, de la flûte. Et pour faire plus vrai encore elle a imaginé sa carte de séjour, elle la Nîmoise, qu'elle en avait besoin absolument et qu'il lui fallait se marier pour ça. Même Dominique l'a avalé me dit Fabrice. C'était bien tissé et bien présenté.

Un mariage qui vaudrait rien d'ailleurs, vu que ses papiers étaient faux.

Je suis plus marié tout à coup.

Et son côté terroriste alors ? Du superbidon. Rien de musulman dans sa famille, mais rien de rien. Elle se brodait ses nuages.

Ça n'a pas pris d'ailleurs finalement avec les flics. La preuve, ils l'ont relâchée. À part son côté petite voleuse, rien à redire ou presque rien. Même pas pute sur les bords. Tout dans sa tête, une autre vie, et à présent elle est au Canada.

— J'ai connu une bonne femme une fois, me dit Fabrice, elle s'était inventé un enfant, d'un père américain richissime, mais la famille avait demandé le secret elle disait, c'était un garçon assez renfermé, très brillant, bilingue. Elle en faisait tout un gratin, montrait ses lettres et ses photos, il s'appelait Colin je crois. Tout fabriqué. Mais dans sa tête elle l'avait vivant. Un jour elle en a eu marre et elle l'a tué. Mort du sida, elle précisait, qu'il avait chopé d'une jeune fille. Elle a envoyé plein de faire-part à tous ses amis et publié une nécro dans *Le Figaro*. Après elle a pris le deuil naturellement, elle a arrêté de se maquiller. Quand ses amis venaient la consoler, elle chialait.

Je m'en fous un peu, de son histoire.

— Oui mais c'est pour dire, il me fait. Les femmes des fois elles ont besoin de se trouer la tête et de se glisser par l'ouverture. Elles sautent même dans le vide, elles vont au bout. C'est pas un péché. Si tu veux aller par là, ça permet de vivre.

J'ai rien à lui dire.

— Les hommes aussi, il ajoute, mais moins.

Je le laisse et je rentre à pied, je me sens tout blanc. Je passe devant un bar où quelquefois se tient Danielle, elle est pas là.

Amira ma légère, ma petite brume, et ma seule nuit. Sa vie qui lui suffisait pas. À savoir même si c'est vrai, ce que dit Fabrice. Je connais personne au Canada.

Et les rubis ? Les pierres du bracelet qu'elle aurait envoyées à son père ? À son père à Nîmes peut-être. Ou bien tout ça c'est des mots d'illusion, juste un peu de dentelle blanche pour les journées qui sonnent creux. Quelque chose pour que le temps de la vie soit pas toujours obligatoirement le même.

J'arrête là, vu que je suis seul maintenant.

Il est presque une heure du matin, je me suis habitué à taper sur l'ordinateur qu'on avait piqué à Vincennes, je fais plein de fautes tant pis. Je vais dire que c'est la fin. J'ai vendu ma télé sinon je foutais rien le soir, et aussi pour un peu de fric. J'ai pas trois francs pour les impôts et ça approche.

L'armée a retrouvé ma trace, ils m'appellent pour servir la France, faudra que j'aille à Courbevoie m'incorporer, marqué urgent sur l'enveloppe. Je croyais que c'était fini tout ça mais pas encore.

J'aurai vingt-deux ans dans quatre jours. Ma mère sûrement l'oubliera.

Le moindre bruit dans l'escalier je l'entends.

Cet ouvrage a été composé par
Nord Compo (Villeneuve-d'Ascq)
et imprimé par **Bussière Camedan Imprimeries**
à Saint-Amand-Montrond (Cher),
pour le compte de la Librairie Plon

Achevé d'imprimer le 15 juillet 1997.

N° d'Edit. : 12834 - N° d'Imp. : 1/1845.
Dépôt légal : juillet 1997.
Imprimé en France